ちくま新書

問いを問う
——哲学入門講義

入不二基義
Irifuji Motoyoshi

1751

問いを問う——哲学入門講義【目次】

はじめに

本書は、青山学院大学で開講されていた私の講義――青山スタンダード科目（一般教養科目に相当）の哲学A・B――をベースにして、書き下ろされた哲学の入門書である。哲学A・Bの講義は、哲学の初学者を対象とした授業であり、以下で述べる使用テキストも、哲学入門書である。しかし、授業の中でもそうであるし、さらに文章化する過程ではなおさら、興が乗ってくると、もう一歩先まで話し（書き）たくなって、入門レベルだけには収まらなくなる。本書にも、その傾向は顕著である。サブタイトルは「哲学入門講義」であるけれども、実際には「入門からその先まで」を幅広くカバーしている。

＊

実際の講義では、トマス・ネーゲル『哲学ってどんなこと？――とっても短い哲学入門』（昭和堂、一九九三年）をテキストに指定して、その精読というスタイルで講義は進められた。ネーゲルのこのテキストは、哲学史の教科書ではなく、哲学するための入門書である。これほどコンパクトにまとめられていながら、十分に哲学することへと導いてくれる。そういう本は、「不朽の名作」と呼ぶのがふさわしい。授業では、一段落を九〇分かけて精読することもあった。

しかし本書では、私の語り（解説や展開）の部分を中心に再構成しているので、ネーゲルの文章は、必要な場合に引用するだけに留め、テキスト読解のスタイルは採っていない。当然のことながら、ネーゲルのテキストなしで本書は読めるように書かれているが、ネーゲルのテキストと共に本書が読まれるならば、両テキストの理解は相互干渉的にいっそう深まるだろう。ぜひ、その読み方も試してみていただきたい。

＊

本書の（ということは私の講義の）最大の眼目は、哲学における「**問い自体を問う**」という側面に強い光を当てて、哲学という活動の固有性を伝えることである。

哲学の授業の中で、私は次のように言うことがある。

ふつうの勉強では、分からなかったことが分かるようになる。しかし哲学では、分かっている（と思った）ことが実は分かっていない、ということが分かるようになる。
ふつうの勉強では、分かるようになっていくことが目指される。しかし哲学では、いっそう深く分からなくなっていく方へと向かって、引きずり込まれていく。

ふつうの勉強での「問い」は、答えられるために呈示される。すなわち、「問い」は答えられる（ためのものである）。だからこそ、「問い」は答えられたときに終了する。しかし哲学における「問い」は、答えることを目指すよりもずっと手前で働いている。哲学の「問い」は、そもそもどういう「問い」であるのかが不明であり、その「問い」がどのような問いなのか自体が問題であって、それが問われなければならない。すなわち、問い自体を問わざるを得ない。だからこそ、問いは問いを呼び続けて、答えて終わりにすることからは、むしろ後ずさりするかのように遠ざかっていく。

本書もまた哲学書であるから、終わり（答え）に向かって進むのではなく、始めよりもさらに手前（問いへの問い）に向けて遡り続けることになるだろう。

*

本書で採り上げる問いは、次の四つの問いである。もちろん、哲学の問いは無数にあるし、先ほどふれたネーゲルのテキストには、この四つ以外の問題も含まれている。しかし本書では、問いを綿密に追いかけるために、十分に紙幅を割いて詳述できるように、この四つの問いに絞り込んで扱うことにした。

どのようにして私たちは何かを知るのか？
どのようにして私たちは他者の心を知るのか？
心と脳の関係とはどのような問題か？
死んだら無になるのか、それとも何かが残るのか？

この絞り込み方には、それなりの必然性があって、四つの問いは互いに連関しているし、移行関係もある。四つの問いは、ひとまとめにして扱うのにふさわしい問題群である。

前半の二つの問いは、「どのようにして私たちは……知るのか？」という部分は共通であり、その「知」の対象が、「（任意の）何か」から「他者の心」へと移動している。この二つの問いは、「知る」という私たちの認識に深く関わる〈認識論的な問題〉である。

それに対して、後半の二つの問いは、〈存在論的な問題〉である。「無になるのか、何かが残るのか」という問いは、「ある／ない」「存在と無」を問う〈存在論的な問題〉であるし、「心と脳の関係」を問うことは、心や脳という「存在領域」をどう考えるべきかを問う〈存在論的な問題〉である。仮に脳や身体とは別立ての「存在領域」を心が持つのだとすると、脳や身体が死んで無になったとしても、その別立ての存在領域（魂）は、無にならずに残るのだろうか……。後半の二つの問いのあいだには、そのような連関もある。

もちろん、前半の二つの問いと後半の二つの問いをそのように特徴づけるならば、〈認識論的な問題〉と〈存在論的な問題〉はどのように結びついているのか、ということ自体もまた問題になる。前半の二つの問いと後半の二つの問いは、どのように繫《つな》がっているのだろうか？

＊

先走りすぎたようである。それぞれの問いを問うことに分け入っていく前に、第1章「哲学の問いへの序走」では、私が講義の第一回・冒頭でする「導入」のための話から始めよう。

第1章
哲学の問いへの序走

†初めての科目としての哲学

日本の教育制度の場合には、「哲学」という領域を学ぶのは、（例外はあるとしても）ほとんどの場合は大学以降である。つまり、日本の中学校・高等学校においては、「哲学」という科目は設置されていない。だからこそ、高校までの教科と連続性があるその他の学問領域――歴史学や物理学など――の場合とは違って、「哲学」の授業では、受講学生（私の哲学A・Bの場合、主に大学二年生）に対して、暗黙の共通了解に当たるものを期待することは難しい。

そういう場合には、「哲学」そのものではなくとも、彼らがすでによく知っている他の科目で、しかも「哲学」に近接・近似する部分を含んだ科目を、「取っかかり」にするのが次善の策である。実は、どの科目であっても（美術であっても英語であっても）、そのような手がかりを見出すことは可能だと思うが、ここでは「**倫理と数学と国語**」という三つの科目を採り上げて、「哲学」と近接・近似する部分へと注目してみよう。言い換えれば、高校までの学習でよく知っているはずの「**倫理と数学と国語**」という三科目のイメージの重なる部分（左頁の図のグレー部分）として、ぼんやりとではあっても「哲学」の初発のイメージを浮かび上がらせてみよう。

†他の科目との比較（1）――倫理の場合

「高校までに履修した科目の中で、もっとも哲学に近い（哲学味の強い）科目は何だと思いますか」という質問を授業の中ですると、答えはほぼ決まっていて「倫理です」となる。それもそのはずであって、倫理の教科書の中には、哲学者の名前や名言や哲学用語が登場するし、最小限ではあるが哲学史・思想史の流れも説明されている。デカルト、「われ思う、ゆえにわれあり（コギト・エルゴ・スム）」、物心二元論、近代の機械論的自然観……。この延長線上に（それをより詳しく拡大する方向で）、大学生たちがこれから学ぶ哲学のイメージを作るのも、宜《むべ》なるかなである。

しかしここでは、そのイメージに抗して逆方向を強調しておきたい。倫理科目と哲学は連続的に捉えられることが多いからこそ、むしろ**両者の断絶に焦点を合わせておきたい**。倫理科目を延長した拡大イメージによっては、哲学の固有性を捉えることはできない。いやむしろ、哲学の固有性を阻害しかねない。その点を、強調しておきたい。

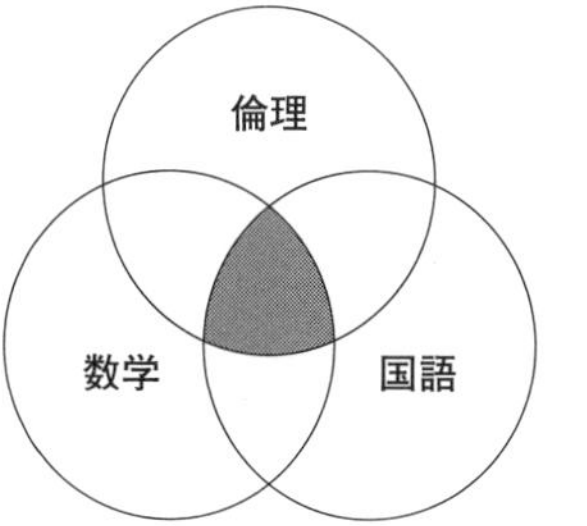

哲学者の名前や名言や哲学用語は登場していても、そのこと

ば・概念の中に自ら入り込んで、思考の運動を自分で実際に体験することができなければ、それは「哲学」にはならない。知っていることと思考することとは、別ものである。また、哲学・思想が分類され陳列されて解説される場面では、思考の運動は止まっていて、もう流れていない。たとえ過去の事例であっても、いまも流れているのでなければ、それは（思想ではあっても）「哲学」ではない。

先ほど例として挙げた、デカルトの「われ思う、ゆえにわれあり（コギト・エルゴ・スム）」の事例も、倫理の教科書の中では歴史的な名言として固定されて「知識」になってしまう。しかし、哲学においてはそうはならない。コギト命題は、今まさにここで働いている最中でしかあり得ず、固定された一般的な「知識」にはなり得ないからである。

ところで、共通テスト（センター試験）の倫理科目の問題では、現代哲学も出題される。たとえば、分析哲学やウィトゲンシュタインについての出題もある。私が受験生だった頃は、どうだっただろう。まだウィトゲンシュタインは、範囲外だったのでは？

二〇二一年の追試験問題では、左頁のように出題されている。ウィトゲンシュタイン哲学の前期を特徴づける「写像理論」と後期を特徴づける「言語ゲーム論」が対照されている。正しく説明しているものを、四つの選択肢から一つ選ばせる問題である。

たしかに、これはウィトゲンシュタイン哲学に関する「知識」を問うている。しかし、

倫理 問5　下線部ⓔに関連して，言語についてのウィトゲンシュタインの考え方の説明として最も適当なものを，次の①～④のうちから一つ選べ。 29

① 言語とは世界のあり方を写し取るものである，と考える写像理論によれば，言語に対応する事実を確定できない神や倫理のような事柄については，真偽を問うことができない以上，沈黙しなければならない。
② 言語とは世界のあり方を写し取るものである，と考える言語ゲーム論によれば，日常生活における具体的な言語使用の実践を離れて，万人に妥当する普遍的な言語の規則を決定しなければならない。
③ 言語の規則は言葉の使用を通じて形成される，と考える写像理論によれば，言語に対応する事実を確定できない神や倫理のような事柄については，真偽を問うことができない以上，沈黙しなければならない。
④ 言語の規則は言葉の使用を通じて形成される，と考える言語ゲーム論によれば，日常生活における具体的な言語使用の実践を離れて，万人に妥当する普遍的な言語の規則を決定しなければならない。

正しい説明の組み合わせが分かっても、「沈黙しなければならない」の必然性や、言語ゲームと規則の繋がりについての思考の展開を、内側から実際に感得できていることにはならない。答えを選ぶことと哲学をすることのあいだの距離は、あまりにも大きい。

いや、「知識」を問う問題にさえなっていないのかもしれない。というのも、この試験問題では、たとえウィトゲンシュタイン哲学について何も分かっていなくても、ほぼ形式的な比較と類推だけで、答えにたどり着いてしまうかもしれないからである。

まず、①②という組と③④という組で比較対照すれば分かるように、「言語とは世界のあり方を写し取るものである、と考える」組（①②）と「言語の規則は言葉の使用を通じて形成される、と考える」組（③④）が対照されていて、どちらが「写像理論」でどちらが「言語ゲーム論」かが問われている。ここで内容は分からなくとも、「写し取る」の「写」という字と写像理論の「写」という字の一致から、また「規則」と「ゲーム」という言葉の結びつき（類縁性）から、正しい組み合わせは、①か④の二つに絞れてしまう。すなわち、「写」し取るのが「写」像理論であり、「規則」を重視するのが言語「ゲーム」論である。

さらに①か④のどちらかに絞り込もうとすれば、次のように考えることができる。④は、「言葉の使用を通じて形成される」と「具体的な言語使用の実践を離れて」が同居していることに、違和感を覚える。「言葉の使用を通じて」ならば、むしろ「具体的な言語使用の実践に即して／密着して」になるはずではないか？ という疑問が生じる。また「万人に妥当する普遍的な言語の規則」という表現も、「具体的な言語使用の実践に即する／密着する」ことに繋げられると齟齬《そご》を感じる。「普遍・抽象」と「個別・具体」の対立が感じられるからである。そのように違和や齟齬を感じ取ることによって、④を捨て①を残すことができる。

こうして、ウィトゲンシュタイン哲学についての「知識」を素通りして、①という答えにたどり着けてしまう。問題の元々の意図は、彼の哲学に関する「知識」を問うことにあるとしても、選択問題という形式を通すことでその意図は変質して、実現できなくなってしまう。試験問題を介することによって、倫理科目は哲学からいっそう遠ざかる。

†他の科目との比較（2）——数学の場合

先ほど哲学については、「ことば・概念の中に自ら入り込んで、思考の運動を自分で実際に体験する」という点、思考の運動が「今まさにここで働いている最中」という点を強調した。その観点から言えば、「哲学は倫理よりも数学に似ている」と言うこともできる。なぜならば、数学の問題（たとえば、或《あ》る三次方程式の問題）を解くときにやっていることは、その問題が生まれた歴史的経緯を外側から考えるのとは違って、数学的手順の中に自ら身を置いて、数学的思考の運動を実演することだからである。その「内的な思考の運動」とでも呼ぶべき一点において、哲学は、倫理科目を学ぶことよりも、数学の問題を考える感覚に近い。

ただし、数学（の問題を解くこと）と哲学をすることとの感覚的・体験的な類似性は、あくまでも二本の平行線のような仕方で似ているだけであって、けっして交わることはない（同じ点を共有しない）。つまり、数学の内的な思考の運動は数学の問題の内を動くのであり、哲学の内的な思考の運動は哲学の問題の内を動くのであって、両者は同じ問題を考えてはいない。それぞれがそれぞれの問いを、それぞれに固有の〈内的な思考の運動〉によって問う。

しかし、数学と哲学のあいだには、そのような感覚的・体験的な類似性には留まらない、もっと奥深いところでの「交わり」「接触」もある。その初歩的な例を、「**背理法**」という証明方法の場面で見ておこう。「初歩的な例」と述べたのは、高校初級レベルの数学であっても、その「交わり」「接触」に当たる例が見られるからである。

高校の数学では、背理法について次のように説明されている。「ある命題を証明するのに、その命題が成り立たないと仮定すると矛盾が導かれることを示し、そのことによってもとの命題が成り立つと結論する方法がある。この証明方法を**背理法**という[1]」。その実際の適用例としてよく挙げられるのが「$\sqrt{2}$は無理数であることを証明せよ」という問題である。次頁に、背理法を使った証明の典型的な例を挙げておく。まずこの証明を一読して、高校時代の記憶を呼び覚ましてもらいたい。私の場合には、この例を思い出すと「腑に落ちなさ」の記憶もいっしょに蘇るが、読者のみなさんはいかがだろうか。

$\sqrt{2}$をａ／ｂ（ｂ分のａ）という分数で表せると仮定すると、（両辺を自乗する等のプロセスを経て）ａもｂも2の倍数（偶数）になるという箇所は理解できたとしよう。

そこは理解できたとしても、なぜそのことが「矛盾」なのか？　それが納得できないか

証明　$\sqrt{2}$は無理数でない，すなわち有理数であると仮定すると，1以外に正の公約数をもたない2つの自然数a，bを用いて

$$\sqrt{2}=\frac{a}{b}$$

と表される。このとき

$$a=\sqrt{2}\,b$$

両辺を2乗すると　$a^2=2b^2$　……①

よって，a^2は偶数，したがって，aも偶数である。

ゆえに，aは，ある自然数cを用いて

$$a=2c \quad \cdots\cdots ②$$

と表される。②を①に代入すると

$$4c^2=2b^2$$

すなわち　$b^2=2c^2$

よって，b^2は偶数，したがって，bも偶数である。

aとbはともに偶数であり，公約数2をもつ。

このことは，aとbが1以外に正の公約数をもたないことに矛盾する。

したがって，$\sqrt{2}$は無理数である。

もしれない。aもbも2の倍数（偶数）になるのならば、そうなることを認めればいいだけなのではないか？

いや、そうではない。証明にも書いてあるとおり、aもbも2の倍数（偶数）になってしまうと、最初に書かれている「1以外に正の公約数をもたない2つの自然数a、b」という点と矛盾するのである。「1以外に正の公約数をもたない」は、もう分母と分子は（1以外に）共通の約数を持たないということだから、その点が2という共通の約数を持つこと（どちらも偶数であること）と矛盾する。

しかし、そう説明されたとしても、まだ「腑に落ちなさ」が残るかもしれない。「共通の約数を持たない」と「共通の約数を持

つ」とが矛盾するのは分かる。しかし、そのような矛盾になってしまうのは、最初に「1以外に正の公約数をもたない」という条件を課したからであって、本当は分母も分子も2の倍数である分数(a/b)で表せることが判明しただけのことではないのか? 矛盾を導きたいために、「1以外に正の公約数をもたない」という条件をわざと勝手に(!)課したのではないか? 矛盾するように、最初から仕組んであったのではないか?

いやはや。疑り深いというか、もの分かりが悪いというか……。しかし、この疑り深さやもの分かりの悪さは、まさに哲学が生まれてくる源泉なので、馬鹿にしてはいけない。もう少し説得を試みてみよう。

百歩(いや千歩)譲って、「分母も分子も2の倍数である分数(a/b)で表せることが判明した」のだとしてみよう。そうすると、分母も分子も2で割ることができるわけだから、2で約分することができる。そのように約分ができるならば約分していって、もうそれ以上は約分することができないという状態にする。この状態——既約分数——をx/y(y分のx)で表そう。このx、yこそが、あの証明の最初の「1以外に正の公約数をもたない2つの自然数a、b」に相当する。すなわち、「1以外に正の公約数をもたない」という条件は、「わざと勝手に課した」のではなくて、**そ**

こへと達せざるを得ない出発点だったのである。こうして、ようやく証明の出発点に立つことができる。もう一度、$\sqrt{2}$＝x／yから始め直して、同じプロセスをたどるならば、その「x／y」が2という約数を持つことが導かれてしまう。ということは、約数を持たないx、yから始めたのに、そこから約数を持つx、yが導かれたことになる。これは矛盾である。

「疑り深さ・もの分かりの悪さ」への説得をこのように経由してみると、矛盾について大切なことが、この迂回によって顕わになる。大切なこととは、「矛盾の内には〈動き〉が、折り畳まれている」という点である。

「公約数を持つ」かつ「公約数を持たない」という矛盾の内には、両方向的な〈動き〉が畳み込まれている。「公約数を持つ」から、約分されて「公約数を持たない」（互いに素）に至る動きと、逆に「公約数を持たない」（互いに素）から「公約数を持つ」に変容する動きの両方向である。両方向が一体となって、往復運動のように働いている。にもかかわらず、「持つかつ持たない」という矛盾表現の内では、その〈動き〉は隠される。静的な「肯定かつ否定」という姿は、〈動き〉を高速度撮影した一枚のショットのようである。往復運動の〈動き〉の全体を無時間的に表象すると、「矛盾」という静止画が浮かび上がる。

いま述べた「**矛盾の内には〈動き〉が折り畳まれている**」という理解が、すでにして数学と哲学の「接点」であるけれども、背理法による証明の内には、さらに深い「交わり」が存在する。その点も見ておこう。

「無理数でない、すなわち有理数である（と仮定する）」という証明の始まりの部分、あるいは「（矛盾するから）有理数ではなく無理数である」という証明の終わりの部分に対して、さらに「腑に落ちなさ」を感じてしまう人はいないだろうか。そういう人は、数学と哲学の「交わり」の深みへと入りかけているのかもしれない。どういうことか？

無理数ではないことが、それだけで即、有理数であることになるのだろうか？ あるいは、有理数ではないことが、それだけで即、無理数であることになるのだろうか？ そのような言い換え（等置）は、有理数でも無理数でもない（どちらでもない）数は存在しない、ということを前提にしない限り、言えないのではないか？ そういう数が「存在しない」ことは、前提にしてもいいのだろうか？

もっと一般的な仕方で同じ問いを言い換えるならば、こうなる。Pという命題を否定した¬P（Pではない）という命題を、もう一度否定して¬¬P（Pではないのではない）という二重否定にすれば、それは即、Pという元の肯定命題に戻るのだろうか？ ¬¬P＝Pなのだろうか？

Pと¬Pを合わせたものが全体であり、その全体の外は存在しないことを前提にしない限りは、そうは言えない。逆に言えば、Pでも¬Pでもない、どちらでもない領域を認めるならば、背理法のあの始まり方・終わり方は、すんなりとは飲み込めなくなる。背理法による証明は、そのような前提（肯定と否定のどちらかしかない／肯定＋否定で全体になる）に支えられているのであるが、その前提自体はそれほど自明というわけではない。少なくとも、数学と哲学が交わる「深み」にまで降りていくと、その前提自体が問われることになる。「腑に落ちなさ」という直観は、この問いへと繋がっていたのである。[2]

背理法についての「腑に落ちなさ」にここまで深入りすると、そこから離反しようとする「反動」が起こるかもしれない。たとえば、次のように。〈そんなにゴチャゴチャ言わずに、背理法が有益ならば、使えばいいではないか？　道具は使ってなんぼなのであって、背理法を使うことで、何かいいことがあるならば、信頼したほうが得策だ。それでいいのではないか？〉これが、逆方向へと向かう反動である。

見かけは、先ほどの「疑り深さ」「もの分かりの悪さ」とは逆であるけれども、こちらはこちらで、「哲学の問い」になっている。〈　〉内の問いかけは、「背理法についてのプラグマティズム（という哲学的な態度）」の表明である。〈背理法は正しい証明法だから使うのではない。うまく使うことによって、正しい証明法になるのである。〉そのような態度を背理法に対して取ることもまた、哲学的な態度（の一種）なのである。深入りするにしても、それに反動的に応答するにしても、そこからは哲学が生い立つ。

†他の科目との比較（3）――国語の場合

哲学と倫理との比較では、「知識」の面での両者の重なりを認めつつも、「内的な思考の運動」という観点から、むしろ両者の違いを強調した。その観点から言えば、倫理よりも数学のほうが、哲学に近いと述べた。哲学と数学は、どちらも「内的な思考の運動」によって、それぞれに固有の問いに取り組む。その点が似ているだけでなく、前提が問いなおされる場面（論理の基礎に関わる問題）では、哲学と数学は深く交わる。

とはいえ、数学は数学の言語（数）を使うが、哲学は日本語や英語などの自然言語を使う。この違いは、決定的である。その観点も加味して言うならば、大学入学前に哲学的な思考の原体験をしている可能性は、倫理や数学よりも、国語という教科のほうが大きい。国語の勉強では、日本語の文章を読み解く過程を通して、「知識」を獲得するのとは別の仕方で、内的な思考の運動を実体験できる。

しかも、大学入試問題の国語（現代文）では、出題される文章自体が哲学系のものが多いし、精緻《せいち》な読解の訓練をする機会にも開かれている。大学受験用の国語の勉強を通して、哲学的な思考が誘発される事例を、私はいくつも見てきた。

だからこそ、私は『**哲学の誤読——入試現代文で哲学する!**』(ちくま新書、二〇〇七年)を書いた。この本は、大学入試(国語)で出題されたほんものの哲学の文章を素材にして、徹底的な精読を行い、その過程で「誤読」を検討した本である。ことほどさように、大学入試の国語と哲学の関係は深い。

拙著『哲学の誤読』では、四つの哲学の文章を扱っている。目次からひろうと、以下の通りである。

第一章 「謎」が立ち上がる——野矢茂樹「他者という謎」
第二章 〈外〉へ!——永井均「解釈学・系譜学・考古学」
第三章 未来なんて〈ない〉——中島義道「幻想としての未来」
第四章 「過去をいま引き起こす」ことはできるか?——大森荘蔵「『後の祭り』を祈る」

これは、哲学の文章のアンソロジーではない。実際の大学入試問題の出題例である。それぞれ、北海道大学・東京大学・早稲田大学・名古屋大学の国語問題として出題された。

この水準の大学を志望する受験生には、この水準の哲学の文章が読み解ける能力が求められていることの証拠である。

「哲学」(大学で初めて学ぶ科目としての哲学)の側から見るならば、特に「哲学」を担当する私のような大学教員にとっては、この事情(受験生が哲学の文章を精読した経験のあること)を利用しない手はない。私はかつて大学受験生を指導する現場にいたことがあるので、予備校の現代文講師たちが、文章を論理的に読解する授業を、きわめて丁寧に、しかも優れた方法で行っていることをよく知っている。大学入試のための受験勉強の時期が、もっとも文章を精密に読み、もっとも哲学の文章に接していたという元受験生たちが、かなりの割合でいることも、私は経験上知っている。

しかし、入試問題として哲学系の文章を読むことや解くことと、哲学をするために哲学系の文章を読むことや思考することとのあいだには、やはりかなりの開きがある。その「差」が顕わになる場面というのがいくつもあって、「誤読」もその一つである。たとえば、入試問題の作成者が、使用する文章の哲学的な「肝《きも》」を捉えられなかった(誤読した)ために、作成された問題が的外れになってしまうケースがある。また、問題文は高度な水準で哲学をしているにもかかわらず、その文章を読んで解説する者たちが、自分に理解できる範囲の文脈内に落とし込んでしまって、分かったつもりになっているせいで、「誤読」が発生するケースがある。その種の「誤読」は、どの読者にも起こりうるし、文章の筆者自身が、自分の文章を「誤読」することだってある。

もちろん、すべての「誤読」が悪いわけではない。「誤読」が、哲学として生産的になることもある。新たな発想が、「誤読」から生い立つならば、それはむしろ歓迎すべき「誤読」である。しかし、多くの「誤読」は、もっとずっと低い水準のところで撃沈した記録である。

だからこそ、大学入試問題の国語の文章は、「哲学」の導入のための優れた教材になりうる。受験生レベルでの精読は済ませておいて、**哲学そのものに入っていくための補助線**として、入試問題を利用できる。その際に「誤読」を梃子《てこ》にすることで、「ふつうの読み」と「哲学の読み」が、どれほど・どんな風に異なるかを、実体験することができる。

体験用のサンプルを、**付録**として掲載しておいた。先ほど述べた『哲学の誤読』では他人の文章を素材にしているが、それとは趣向を変えて、入試問題として出題された私自身の文章を、私自身が解答し、解説を加える。「**国語入試問題と哲学の交錯**」である。受験生になったつもりで、解答を作成してみてから、さらに解説とコメントを読んでいただけると、哲学と大学入試の国語との「交わり」の部分が、実感できるのではないかと思う。

第２章

どのようにして私たちは何かを知るのか？

†ふつうの問いから哲学の問いへ

「**どのようにして私たちは何かを知るのか?**」という問いは、いったい何を問おうとしているのだろうか? 問いの意味自体を問い、それをはっきりさせないと、答えることは始まらない。本書のタイトルである『**問いを問う**』とは、この点(**問い自体を問う**)を表したものであって、単に「問いを発する」ということではない。一回目の「問い」と二回目の「問う」のあいだにはレベル差がある。わざわざ「問い自体を問う」必要があるのは、その問いがふつうの問いとは異なるからである。

ふつうの問いとは、次のような問いである。「どのようにして、日本に住む私たちは、アメリカの大統領選挙の結果を知るのか?」

このふつうの問いは、何を問うているのか(問いの意味)がもう明らかなので、すぐに答えを与えることができる。たとえば、「その日のテレビ放送を見ることで、日本に住む私たちも、アメリカでの大統領選挙の結果を知ることができる」というように。

このふつうの問いと、これから問おうとしている哲学の問い(どのようにして私たちは何かを知るのか?)を三箇所で対応させてみると、次のようになる。

「どのようにして知るのか」→「テレビ放送を見ることによって知る」
「私たち」→「日本に住んでいてアメリカの出来事を直接見聞きできない者」
「何か」→「アメリカの大統領選挙の結果という出来事」

このような繋《つな》がりが読み取れてしまうからこそ、哲学の問いをふつうの問いと同じように考えてしまうのかもしれない。しかし実は、その対応しているように見えるどの箇所にも乖離（ギャップ）がある。その乖離のほうが、哲学的な問いを駆動する。ここから先は、次第に「ふつうの問いと哲学の問いの乖離」のほうに焦点を合わせていくことになる。

「どのようにして」は、テレビや新聞などのメディア・手段を訊いているのだろうか？「私たち」とは、「日本人」のような特定の集団のことを表しているのだろうか？「何か」とは「アメリカの大統領選挙の結果」のような特定の出来事のことを表しているのだろうか？

ちなみに英語では、この章のタイトルは、"How Do We Know Anything?"と表現されている。(1) "How …… Know"の"How"は何を問うているのか？ "Know"という知の成立条件は？ "We"とはいったい誰のことなのか？ "Anything"が表す「何でもよい何か」とは何を表しているのか？ やはり、これらの点がさらに問われなければならない。

ネーゲルのテキスト（原著）のIntroductionでは、"How Do We Know Anything?" の問いは、"Knowledge of the world beyond our minds"（私たちの心を超えた世界についての知識）の問題と言い換えられている。これは、大きなヒントである。「任意の何か」は、「心を超えた世界」と言い換えられているからである。

†問うための基本の枠組み（1）

問うためには、問うための「足場（枠組み）」が必要である。その「足場（枠組み）」を確認するために、もう一度、「どのようにして、日本に住む私たちは、アメリカの大統領選挙の結果を知るのか？」というふつうの問いに戻って、考えてみよう。

ふつうの問いでは、「どのようにして、そのことを知るのか？」と問うときには、「すでにそのことは起こっている」「アメリカの大統領選挙の結果は出ている」こと自体は前提になっている。現場にいるアメリカ人ならば、その出来事は「どのようにして知るのか？」とわざわざ問うまでもなく、直接分かっていることになっている。

そのうえで、日本に住む私たちについては、改めて「どのようにして」が問われうる。私たち日本人の場合には、アメリカの現場にいないので、出来事と私たちのあいだには「距離《あいだ》」がある。離れていて間接的であらざるを得ないからこそ、「どのようにして知るのか?」」が問われうる。その「距離《あいだ》」を繋ぐ（埋める）ものが問われている。テレビ報道というメディア・手段が、その「距離《あいだ》」を繋いで（埋めて）くれるから、それが答えとなる。

さて、この問いの基本の枠組みは、次のような例にも拡張して使用できる。

・太陽や月や星が輝いている。
・家の近くに大きな木がある。
・足もとの床が滑りやすい。
・右上の差し歯がぐらぐらしている。
・二〇世紀は戦争の世紀であった。
・水は水素と酸素の化合物である。
・友人のSには心配事がある。

「どのようにして私たちはこれら諸々のことを知るのか?」そのように問う場合に、問いの基本の枠組みは引き継がれつつも、以下の（1）（2）（3）のように変容もする。

（1）「どのようにして、日本に住む私たちは、アメリカの大統領選挙の結果を知るのか?」という問いとは違って、この七例では、主語は「日本に住む私たちは」ではもはやない。むしろ、「（誰であれ）私たちはあるいは私自身は、どのようにして知るのか」である。つまり、「私たち」とは、特定の限定された者たちではなくなって、「私たち一般」あるいは「私自身」へと置き換わっている。

（2）七例を見れば分かるように、アメリカでの出来事よりも、さらに距離的に離れている例（太陽・月・星の輝き）もあれば、距離的には近い例（近所の木や足もとの床）もあるし、もっとも身近とも言える自分の身体の例（歯）もある。さらに、歴史的な事実や科学的な事実（二〇世紀の特徴や水の化学組成）、他者に関わること（友人のSのこと）もある。主語が特定の誰かに限定されなくなっただけでなく、目的語（知の対象）も任意の何か（何でもあり）に置き換わっている。

（3）その主語（主体）と目的語（知の対象）のあいだの繋がりが、「どのようにして（How）」という方法・手段の問いによって問われている。「アメリカの大統領選挙の結果」の例では、それが「テレビ放送（メディア）」という方法・手段であった。

「アメリカの大統領選挙の結果」の場合であっても、「日本に住む私たち」だけでなく、多くのアメリカ人もまた、日本人の場合と大差はなくて、「テレビ放送（メディア）」を通じて選挙結果を知るのではないだろうか。さらに、たとえ開票の現場に立ち会っているアメリカ人であっても、票のカウントを「見たり・聞いたりすることを通じて」選挙結果を知るのではないだろうか。そのように考えを変えると、私たちと大半のアメリカ人のあいだに大差がないだけではなく、私たちすべてが、必ず〈何かを通じて〉、知の対象に接近していることになる。先ほどの七例は、こう書き換えられる。

・太陽や月や星が輝いている、と視覚を通じて私たちは知る。
・家の近くに大きな木がある、と視覚を通じて私は知る。
・足もとの床が滑りやすい、と触覚を通じて私は知る。
・右上の差し歯がぐらぐらしている、と触覚を通じて私は知る。
・二〇世紀は戦争の世紀であった、と読書を通じて私たちは知る。
・水は水素と酸素の化合物である、と授業を通じて私たちは知る。
・友人のSには心配事がある、と友人の話を聴くことを通じて私は知る。

以上の（1）（2）（3）によって生じていることは、ある種の「徹底化」である。問いの基本の枠組みは、その骨組みだけが顕わになって、〈私たち一般・私自身は、何らかの経験を通じて、任意の何かを知る〉というところまで煮詰められている。こうして、ふつうの問いは哲学的な問いのほうへと、移動しつつある。その煮詰められた問うための基本の枠組みを、次のように図式化しておこう。Yが知られるべき「任意の何か」であり、Xが感覚や経験等の「心的な何か」である。「↑X↑」は「通じて」という媒介の働きを表す。

1　Y↑X↑（私たちは、Xという経験を通じて、Yを知る）

もちろん、「どのようにして私たちは何かを知るのか？」という問いは、これで答えられたわけではない。まだ、始まったばかりである。だから、さらに問おう。この枠組みを使って問う場合に、いったい何が問題なのか？

問うための基本の枠組み（2）

基本の枠組み（1）は、「知る」という**認識**についての図式であるが、これから問われるのは、Yはほんとうに存在するのか？　という**存在**についての問いである。つまり、「どのようにして私たちは任意の何か（Y）がほんとうに存在することを知るのか？」が問われている。そして、「ほんとうに存在する」とは、確実に存在することであり、存在することが疑い得ないということである。「私たちは任意の何か（Y）が、確実に疑い得ない仕方で存在することを、どのようにして知るのか？」が問われている。

逆に言えば、疑うことができる存在は、まだ「ほんとうに存在する」とは言えないことになる。疑うことのできる存在とは、実際に疑わしい必要はない。それは疑いうるだけで十分である。存在することを少しでも疑うことができる（疑う余地がある）のであれば、まだ「ほんとうに存在する」とまでは言えない。「存在するかのように見えたり・聞こえたりする……」だけという可能性が残る。この点もまた、哲学の問いの「徹底性（ラディカルであること）」という特徴を表している。

アメリカ大統領選挙の例においても、選挙結果がテレビ放送を通じて、日本に住む私たちに正しく届いているかどうかを疑うことができる。ほんとうは、まだ結果は出ていないのに、テレビ放送が誤って報道してしまっている可能性はある。同様に、アメリカの現場にいる人であっても、票のカウントを数えまちがったり・見まちがったり……して、ほんとうは存在しない結果を存在しているかのように思っている可能性はある。

同様のことは、先ほどの七つの例すべてに対して言える。「太陽や月や星が輝いている」「家の近くに大きな木がある」……などのYは、どれも感覚や経験などのXを通しているのだから、「Xを通して」の内で、そう見えたり・そう経験されたりするだけで、ほんとうはYは存在しない（事実ではない）可能性はある。要するに、見まちがいや思いちがいの可能性を除去できなければ、「ほんとうにYが存在する」とまでは言えない。そのように考える枠組みのもとで、「どのようにして私たちは、任意の何か（Y）がほんとうに存在することを、Xを通して知るのか？」が問われている。「Xを通して、そのXの外の存在をどのようにして知るのか？」という、極端な問いが問われている。この枠組みも図式化しておこう。

2　Y←【Y←X←】（経験内のYではなく、その外にYはほんとうにあるのか？）

少しでも疑いの余地があるならば疑うというこの方針で問うならば、「確実な」「ほんとうの」存在など何もないということになってしまうのではないか？　そう思われてしまうかもしれない。しかし、そうではないという点が重要である。むしろ、それだけが唯一確実であって、ほんとうに存在すると言えるものが、逆照射されて浮かび上がる。

†出発点としての「確実な存在」

これまでの議論の進め方を振り返ると、こうなっている。

まず「Yが存在する・起こった」という素朴な段階があって、次に、それは「X（感覚・経験・記憶・思い……）を通じて」知っていることだ、と改めて捉え直す段階がある。この第二段階では、Yが存在することは、Xという経験・思いの内なる意味内容として取り込まれている。先ほどの図式では、それが【 】内に相当する。だからこそ、Xの内なる意味内容としての「Yがある」と、その外に実際にYが存在すること、この二種類のY——認識の水準のYと存在の水準のY——のあいだには隙間（亀裂）が生じている。この隙間に、疑いの可能性が入り込んでくる。認識の水準のYが経験されているとしても（Yはあると思われていても）、存在の水準のY（思いとは独立のY）のほうは、ほんとうは存在しないのかもしれない、と。これが、問いの基本の枠組みであった。

しかし、そのような疑いが生じることは、（疑いという）何らかの経験・思いが生じることに他ならない。疑えば疑うほど、その疑いという経験・思いの存在は、その疑いによってこそ確保される。たとえ、存在の水準のYの存在は疑いから逃れられなくとも、いや逃れられないからこそ、その不可避的な疑いが、当の疑いという経験・思いの存在を確かなものにする。

Xという経験・思いは、特別な仕方で、疑うことができないようになっている。疑い得ないのは、Xの内なる意味内容が正しいからではない。そのようなことは、いくらでも疑いうる。そうではなくて、Xという思いの存在そのものだけが、疑い得ないのである。思いの**真理性**からは切り離された仕方で、**思いの存在**のみが確実なもの（疑い得ないもの）になる。その切断によって、思いという認識とその存在は（Xにおいて）癒着・一体化する。

前掲のネーゲルのテキストでは、第2章の最初のパラグラフで、次のように言われている。

> If you think about it, the inside of your own mind is the only thing you can be sure of. （「どのようにして私たちは何かを知るのか?」という問いについて考える場合には、自分自身の心の内部が、確かだと思える唯一のものである。[2]）

この冒頭の文が表しているのは、まさにXという自分自身の思いの、（その**真理性**ではなく）**存在そのもの**の確かさである。疑いの可能性があればすべて疑うという徹底性の中で、特異点のように疑い得ない（確実な）出発点が、X（私の思いの内）の存在それ自体である。

この出発点は、ネーゲルのテキストでは冒頭のパラグラフに置かれている。しかし、それが出発点であることは、ここまで問いを進めてきた後になって、初めて顕わになることである。「**そこへと達せざるを得ない出発点**[3]」、すなわち〈**遅れる始源**〉である。

このように徹底的な疑いと一体化して働いている私の思いの内とは、デカルトの「われ思う、ゆえにわれあり（コギト・エルゴ・スム）」に相当することは、すぐにお分かりであろう。デカルトのコギトは、このような思考の運動の内に置かれてこそ、単なる「知識」であることを脱して、いまここで実効的に働く（第1章の倫理科目との比較を参照）。

†答えの試みとその失敗

「どのようにして私たちは何かを知るのか？」という当初の問いは、ここまでの考察を経て、どのような問いであり・何を問うているのかが、かなりはっきりしてきた。問いの意味は、次のようなものだった。「私たちは、感覚・知覚・思考……等の自分の内的経験Xを通して、その経験の内で、「外なる存在Y」――**内の外**――に出会ってはいる。しかし、その内の外を超えて、ほんとうに「外なる存在Y」が存在していること――**外の外**（心を超えた世界）の存在――を、どのようにして知るのか？」このような問いだったのである。

この問いに答えようとした場合、どのような答え方がありうるだろうか。次のような答え方はどうだろうか。問いに対する答えの試みである。

仮に、経験の外なる存在Yが、ほんとうは存在していなかったとしてみよう。これは背理法の仮定である。外なる存在Yは、「経験Xの内でYと出会う」ことを結果として引き起こす原因である。原因がなければ結果は起こらないのだから、原因である外なる存在Yが存在しないならば、その結果の「（Yと出会う）経験X」も存在しないことになる。しかし、実際には「（Yと出会う）経験X」は生じているし、経験Xが存在すること自体は疑い得ない（疑うこと自身が疑いという思いの存在であるから疑い得ない）出発点であった。

これでは、「経験X」は存在しないかつ存在するという矛盾になる。このような矛盾に陥ったのは、仮定が誤っていたからである。ゆえに、仮定は否定されて、経験の外なる存在Yは、原因としてほんとうに存在している。証明終わり。

奇しくも、背理法が使われている（第1章の哲学と数学の比較を参照）。しかしここでは、背理法を問題にしたいわけではない。そうではなくて、経験の外なる存在Y、すなわち「心を超えた世界」が原因として働き、心の内なる経験Xが結果として生じるという考え方、そしてそれに基づく答え方に注目したい。

原因と結果という考え方を利用したこの応答に対して、問いを提出した側は、どう応じるだろうか。「はい、わかりました。その通りですね」となるだろうか。いや、ならない。もう一度問う側に立ち戻って、なぜこの答え方は納得できないのかを、考えてみよう。

「原因が結果を引き起こす」あるいは「原因がなければ結果は存在しない」という因果関係の考え方は、次のどちらかに帰着すると考えられるが、どちらであっても、答えとしては失敗する。そのように、問う側による反論は（1）（2）の両方を退けようとする。

（1）因果関係は、実験や観察を超えた前提とされるべき原理である。
（2）因果関係は、実験や観察などによって確かめられる事実である。

（1）を選ぶならば、「経験の外なる存在Yは、原因としてとにかく存在しなければならない。それは前提なのだから」と答えていることになる。しかし、元々の問いは、まさにその前提を問うている。どうやって「経験の外が原因として存在する」という前提を知るのか？　それを問うている。だからこそ、「前提なのだから、存在しなくてはいけない」と答えられても、問う側は納得できない。「前提だから問うな」と言われているようなものである。問いを禁じることは、問いに答えることではない。
（1）を選ぶと、「前提」を独断的に主張するだけになり、問いは封殺されてしまう。それでは、（2）のほうを選んだらどうなるだろうか。
因果関係を実験や観察によって確かめるためには、経験X（視覚・聴覚……など）を通さなければならない。原因となる物事をよく見たり、原因を取り除くと結果は変わるかどうかを試す。そのように経験X（＝実験・観察）を通じて確かめられた原因は、経験Xの内に現れてくる原因――経験の内で原因として現れる外（**内の外**）――である。

このように、実験や観察などによって確かめられる限りでの原因は、経験内に位置づけられた原因であり、原因のように見えている・思えている限りでの原因である。それは、〈**認識内存在**〉としての原因であって、〈**認識外存在**〉としての原因ではない。そのように見えている・思えている経験自体を、まるごとその外から引き起こしている原因（**外の外**の存在）には、実験や観察などを通して到達することはない。

そもそも問われているのは、「認識外の原因（外の外）が、ほんとうに存在することを、どのようにして知るのか？」という問いだったはずである。にもかかわらず、答えの試み（2）のほうは、実験・観察によって捉えられた限りでの原因（内の外）を持ち出すことによって、答えようとしている。ゆえに、（2）のほうを選んで、因果関係の事実に依拠して答えようとしても、その試みは失敗する。

こうして、（1）のように認識外の原因（**外の外**）を独断的に主張しても、問いに答えたことにはならないし、（2）のように認識内の原因（**内の外**）に依拠しても、問いに答えたことにはならない。独断的な主張をするだけでは、問われていることを予《あらかじ》め答えにするだけになる。他方、実験・観察に依拠すると、問いの内に留まるしかなく、その外には出られずに、答えにはいつまでも届かない。結局、（1）でも（2）でも、因果関係を利用した答えの試みは、失敗する。

†「現在地点」の確認

問いの意味が明らかになりつつあったので、答えようとしてみた。しかし、その答えの試みは失敗した。この失敗から、何を読み取るべきだろうか？

答えることへの失敗を、よくないことのようにネガティブに考えるひとがいる。しかし、そうではないのだ。この失敗には、重要なポイントが含まれていて、むしろ問いの意味をいっそう明らかにするのを手助けしてくれる。その点も含めて、「現在地点」を確認しておこう。

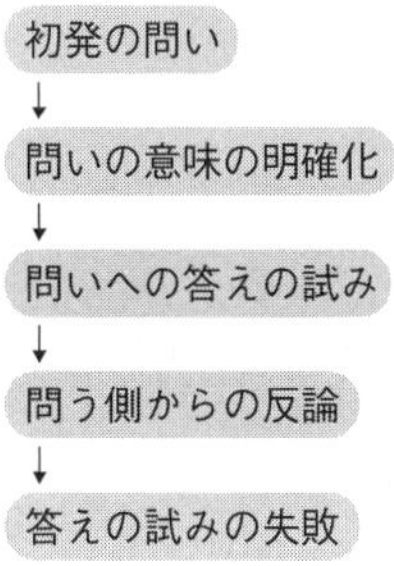

上図のように進んできた。問う側と答える側の議論のやり取りが行われている点が、とても重要である。その役割の交代（視点の転換）を自分一人の思考の中で行うことが、哲学的な思考では求められる。ここまではワンターンの交代（転換）であったが、この交代（転換）は、一度きりで終わるの

ではなく、これからも繰り返されることになる。つまり、ある時には問う側の視点に立ち、またある時には答える側の視点に立って、何度もその役割を交代しながら議論が進んでいく。いわば、議論はジグザグに進む。他の章でも、この**ジグザグ運動**は繰り返される。

問いが何を問おうとしているかが顕わになるのに伴って、その問いが生み出している「ブレ（揺れ）」もまた、浮かび上がる。

その「ブレ（揺れ）」は、Yのところに発生している。前出（四〇、四二頁）の図式を次頁のように並べてみれば明らかなように、当初は一つであったはずのYが、【　】内のY（**認識内存在**）と、【　】外のY（**認識外存在**）に分裂している。

問いが投げかけられる前は、次頁の図式の一番右の「Yがある」という状態である。「太陽や月や星が輝いている」や「家の近くに大きな木がある」……等々の例が、この出発点の状態Yに相当した。

その状態へ問いを向けるということは、その状態を〈改めて振り返ってみる〉ということである。そうすると、「太陽や月や星が輝いている」や「家の近くに大きな木がある」は、そのように見えているのであり、それは視覚印象を通じてであることが意識される。Yといっても、必ず何らかのXを通してそれに出会っていることが意識される。この段階が、「Y←X←」という図式で表されている。端的なYと、意識されたY、すなわち

「Y」と「Y↑X↑」とのあいだには、最小の「ブレ（揺れ）」が感じ取れる。端的なYと意識されたYは、同じか？　違うか？　その「？」のあいだでブレ（揺れ）る。

さらに、その最小のブレ（揺れ）自体を強く意識するならば、媒介部分「↑X↑」が力を増して、Yをいっそう浸食する。「Y」は「↑X↑」の働きの内へと吸収されて、認識内存在としての「Y」になる。この段階が、図式：【Y↑X↑】に相当する。

最小のブレ（揺れ）の範囲に収まっていた「端的なY」と「意識されたY」のあいだの隙間（亀裂）が、次の段階へ引き継がれて大きくなった。それが、「意識されたYが認識内存在Yとして意識される」段階であった。図式では、Y↑X↑から【Y↑X↑】への表記変化に相当する。【　】による囲みは、内的経験Xの圏域によって、Yが飲み込まれたこと（内部化）を、表している。

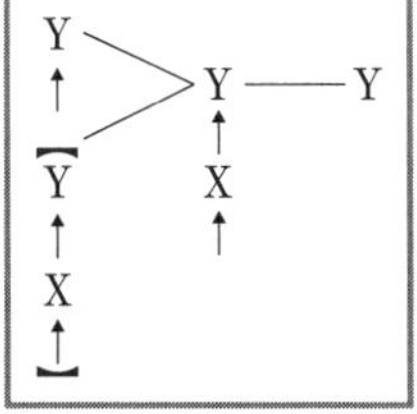

Yの内部化（Yが**認識内存在**になること）は、そのまま同時に、**認識外存在**としてのYの可能性を開くことでもある。Yは、認識内に現れるのではない仕方で、認識外に存在しているのかもしれない。**内部化／外部化の分割**は、**認識の水準／存在の水準の分割**でもある。この点を表しているのが、図式：Y↑【Y↑X↑】である。【　】で囲うことが、そのまま同時に、【　】外の存在（Y）を開くこと

に繋がっている。

最初の「端的なY」と「意識されたY」との最小の分割が、最後の段階では「認識内存在のY」と「認識外存在のY」との隙間（亀裂）として、バージョンアップして拡大回帰している。

この状況に対して、さらに別種の問いを向けるならば、「端的なY」とは「認識外存在のY」のことだったのだろうか？　もっとも素朴な手前の存在が、認識の向こう側のもっとも遠のいた存在と、同じものなのだろうか？　そういう問いにも繋がっていく。しかしここでは、これ以上は踏み込まないでおく。この章の最後で、もう一度問うことにしよう。

「どのようにして私たちは何かを知るのか？」と問うことは、このように隙間（亀裂）を生み出し、拡大させる問いであった。振り返ってみれば、「答えの試みとその失敗」の節で確認した、（1）と（2）の選択肢のどちらを選んでも上手くいかないという事態もまた、この隙間（亀裂）の反映であったことが分かる。（1）と（2）は、内なるYと外なるYと同じように、外と内のあいだで引き裂かれていた（予め外なのか、内に留まるか）。

ただし同時に、単に引き裂かれているだけではない。この問いを問うことは、もう一方で、その隙間（亀裂）を特別な仕方で塞いでもいることを思い出しておこう。その隙間（亀裂）が特異的に塞がっているのは、X（私の思い）のところにおいてであった。

それは、デカルトのコギトという認識＝存在に相当する「確実な存在」であった。X（私の思い）が存在することは確実である。疑うこと自身が、疑いという思いの存在であるから疑い得ないのである。ここでは、思う（疑う）という認識はそのまま思い（疑い）の存在であるという仕方で、認識の水準と存在の水準は一体化している。両水準は癒着していて、隙間（亀裂）の入り込む余地が潰されている。

こうして、Yにおける隙間（亀裂）の発生は、Xにおける隙間（亀裂）の無さに支えられており、逆に、Xにおける隙間（亀裂）の無さは、Yにおける隙間（亀裂）の発生によって、あとから始点として炙《あぶ》り出される。コギトは、〈**遅れる始源**〉である。

「どのようにして私たちは何かを知るのか？」という問いからは、**認識内存在のYと認識外存在のY**の隙間（亀裂）が発生する。このことが問題ならば、その隙間（亀裂）を埋めるもの、架け橋するものを見つければ、それが答えになるのではないか？　改めて、答えの試みにチャレンジしてみよう。

†隙間は埋められるか？

認識外の存在（Y）を経験によって知ろうとすると、それは認識内の存在（Y）になってしまう。そこで、「認識内のYではなく認識外のYを、どのようにして私たちは知るのか？」という問いがさらに繰り返されるしかない。これが、「現在地」であった。「経験によって」知ろうとするから、Yは認識外のポジションから認識内へ転落して、内部化するのである。ならば、「経験によって」ではない仕方を使えばよいのではないか？　その別の何かを使って、YとXのあいだに空いた「隙間（亀裂）」をブリッジすればよいのではないか？　この「隙間を埋める」ものを探すことが、第二の答えの試みである。[4]

その答えの候補として、（経験ではない）科学の**理論・モデル**というのはどうだろうか？　ネーゲルのテキストの中には、次のようなパラグラフがある。

> （……）ふつうの科学の思考では、世界が私たちにまずどのように現れるかから出発して、世界がほんとうはどのようであるかという異なる捉え方へと移行するために、説明のための一般的な原理に依拠します。私たちは現れを説明するために、その現れの背後にある実在を記述する理論を使います。その実在は、直接観察不可能な実在だからです。そのようなやり方によって、物理学や化学は、私たちの身のまわりのものはすべて、見えない小さな原子で構成されていると結論を下すのです。外的世界が存在すると一般に信じることも、原子の存在を信じることと同じような裏付けを持つと論じることはできるのでしょうか？[5]

この引用文の「世界が私たちにまずどのように現れるか」が【Y←X】に相当し、「世界がほんとうはどのようであるか」「実在」が、【　】の外のYに相当する。【　】の外のYは、観察不可能であるからこそ、物理学や化学は、直接の観察の代わりに、「説明のための一般的な原理」「実在を記述する理論」を利用する。この理論の一例として、原子モデルが挙げられている。直接観察はできない実在の姿を説明してくれる理論・モデルの一例として、原子モデルが使われている。もちろん、これは中学生レベルの例にすぎない。しかし、例自体は、いくらでも高度なものに変えることができるし、物理学・化学の進展に応じて、理論・モデルは変わっていく。ポイントは、現れと実在を理論が媒介するという考え方である。

物理学・化学の場合には、現れ（実験・観察）と実在とのあいだは、理論によって架橋されていると言ってよい。実験・観察＋理論が、科学的な実在（科学が捉える世界のほんとうの姿）を明らかにしてくれる。

しかし、科学の場合のこの答え方は、私たちの問題である「外的世界が存在することを、私たちはどのようにして知るのか？」に適用できるだろうか？　答えは「否」である。ネーゲルからの引用文の最後は反語的な疑問文になっていて、「私たちの問題の場合には、科学のようには答えることができない」、つまり「理論・モデルは、科学の場合とは違って、答えにはならない」と言っていることになる。なぜ、そうなるのだろうか？

私たちが問うている問いが、特殊であり強力であるからである。問いの影響力は、現れ（実験・観察）のところのみならず、理論・モデルに対しても同じように及ぶ。理論・モデルは、問いを終わらせるもの（答え）ではなく、同じ問いが繰り返される場になる。問いによって、現れと実在のあいだに隙間（亀裂）が開かれたように、こんどは理論・モデルと実在のあいだに、同様の隙間（亀裂）が開かれる。

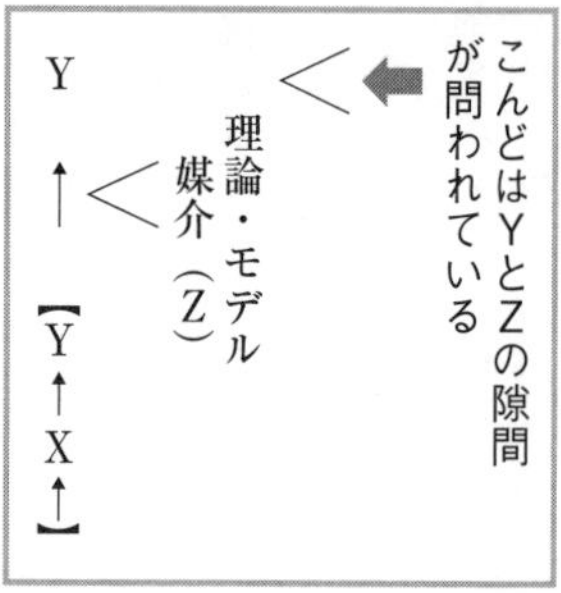

こんどは、「理論・モデルによって捉えられる限りでのYではなくて、その外のYがほんとうに存在することを、私たちはどのようにして知るのか？」という問いとして、再び戻ってくる。現れと実在とを繋ぐ（ブリッジする）ものとして、理論・モデルが呈示されたが、こんどはその当の理論・モデルと実在とを繋ぐ（ブリッジする）ものが、さらに求められることになる。こうして、理論・モデルもまた、現れと同じポジション（表象）に留まってしまい、実在（外の外のY）とのあいだに隙間（亀裂）の余地が残る。

右頁の図式のように、実在Yと現れYのあいだの隙間が問われていたが、こんどは実在Yと媒介Z（＝理論・モデル）のあいだの隙間が問われている。隙間（亀裂）は、塞がれるのではなく繰り返されている。こうして、第二の答えの試みも、失敗する。

†問いの意味――懐疑論

二度の答えの試みの失敗を通じて、「どのようにして私たちは何かを知るのか？」という問いが、何を問おうとしているのか、どのような性格の問いであるかが、顕わになってきた。この問いが問われるところでは、Xの範囲の拡大――Xのコアはコギトの存在であるが、その認識範囲は感覚経験から科学理論に至るまで、あらゆる表象へと拡大する――に相即して、Y（実在）のほうは、その拡大するXの外へと退隠する。それゆえ、Xを通してY（実在）に至ることはできない仕組みになっている（上図参照）。その到達不可能なY（実在）に向けて問いは発せられていた。「どのようにして私たちはそのXの外のYを知るのか？」と。

ここまで来れば、繰り返される「どのようにして、知るのか？」は、「どのようにしても、知ることができない」とい

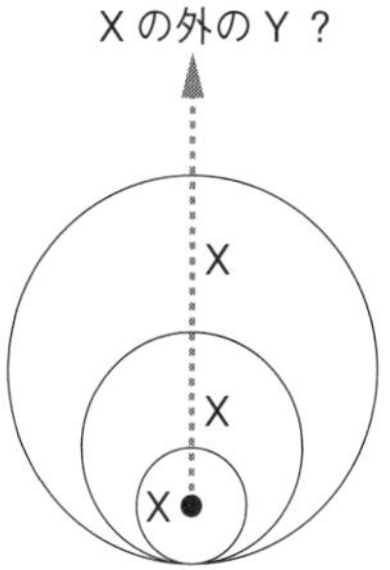

う意味を含んだ反語的な問いであることが明らかである。「どのようにして私たちは何かを知るのか？」は、「どのようにしても、私たちは何も知り得ないのではないか？」という問いとして、その姿を現す。すなわち、この問いは、Xの外のY（実在Y）について、その在り方と存在を疑う**懐疑論の問い**だったのである。

懐疑論は、ただ疑うためだけに疑っているのではないことに、注意しよう。何も信じられなくなって、自暴自棄になっていて、無《む》闇《やみ》矢《や》鱈《たら》に疑うのでもない。むしろ、強烈にY（実在）を求めているがゆえに、認識内存在のYでは満足できず、その実在への過剰な欲望によって問いが駆動されている。しかも、その度外れた欲望とコギトの自己確信は、一つのことの裏表として成立している。

認識内のYと認識外のYとのあいだに隙間（亀裂）が開かれることは、二つのYがまったく異なる在り方をしている可能性と、認識内のYだけが存在して認識外のYはほんとうは存在しない可能性と、この二つの可能性が開かれることに他ならない。重要な点は、「可能性が開かれる」という点である。懐疑論の問いは、この可能性に基づいて、「……かもしれない」という疑いを発する。「認識内のYだけが存在して、認識外のYはほんとうは存在しないのかもしれない」、あるいは「認識外のYは存在はしていても、その在り方は認識内のYとは似ても似つかないかもしれない」。これは、懐疑論の二つの局面である。

この懐疑論的な可能性（かもしれない）を、形象化した事例（思考実験）を二つ採り上げておく。「夢の懐疑」と「五分前世界創造説」である。前者は「すべては巨大な夢の中で起こっていて、その外は無なのかもしれない」可能性を考える。後者は「世界はすべて五分前に誕生したのかもしれない」可能性を考える。

†夢の懐疑

通常の（寝ているときに見るあの）夢の場合には、その夢の中で経験している内容は、現実には起こっていない。夢の中では空を飛んでいても、現実にはベッドに横たわっているだけである。その夢の内容は、現実にはベッドに横たわる人の脳の活動によって、表象として生み出されている。目を覚ませば、その夢（の表象内容）から脱して、現実の世界（ベッドの側に立っているという表象内容を伴う世界）へと戻る。

しかしここで、次のような可能性を考えることができる。その「夢から覚めて、ベッドの側に立っている」という表象内容もまた、夢の中で経験している（まだほんとうは目が覚めていない）という可能性である。「夢から覚める夢を見ている」可能性は、それほど珍しいものでもないだろう。六一頁の図では、吹き出しの中が夢の中を表す。

さらに、可能性でよいならば、「夢から覚める夢から覚める夢を見ている」も考えられる。そのような多重夢を実際に体験することは稀であるとしても、可能性でよいならば、それは「ありうる」ことである。さらに進んで、「夢から覚める夢から覚める夢を見ている」可能性もある。たとえ実際上の可能性はないとしても、思考・想像可能ならば、思考実験においては、それは「ありうる」ことなのである。

こうして、「通常の夢」は「思考実験上の夢」へと拡大している。予想されるように、この可能性はどこまでも続く。「夢から覚めたと思ったらそれも夢であり、その夢からも覚めたと思ったこともまた夢であり、その夢から覚めたと思ったこともまたまた夢であり、……」と無限に続くので、最終的に夢から覚めるという終わりはやって来ない、という可能性にまで拡大する。左頁の図のような吹き出しが、終わりなく無限に続いていく可能性である。この図が、五七頁の図と本質的に同型であることは、一目瞭然であろう。

このように夢の中にいる可能性が無限に反復されるということは、その反復の外に出ることが不可能であるということである。その反復の外に出ることが不可能であるということは、反復が完了した最終の外側など無いということである。この拡大する夢の無限反復の中にいることを、「通常の夢」と区別して「巨大な夢」と呼んでおくことができる。「すべては巨大な夢の中で起こっていて、その外（**無限反復自体の最終的な外**）は無なのかもしれない」という可能性を考えることができる。これが夢の懐疑である。ネーゲルは、こう述べている。

（……）もし外部の実在世界だと思っていたすべてのことが、巨大な夢あるいは幻影にすぎず、そこからはけっして覚めることがないとしたら、どうでしょうか。そのようになっているならば、通常の夢から目を覚ますようには、巨大な夢から目覚めることは、もちろんできないでしょう。なぜならば、この想定によれば、目覚める先の「実在の」世界が存在しないからです[6]。

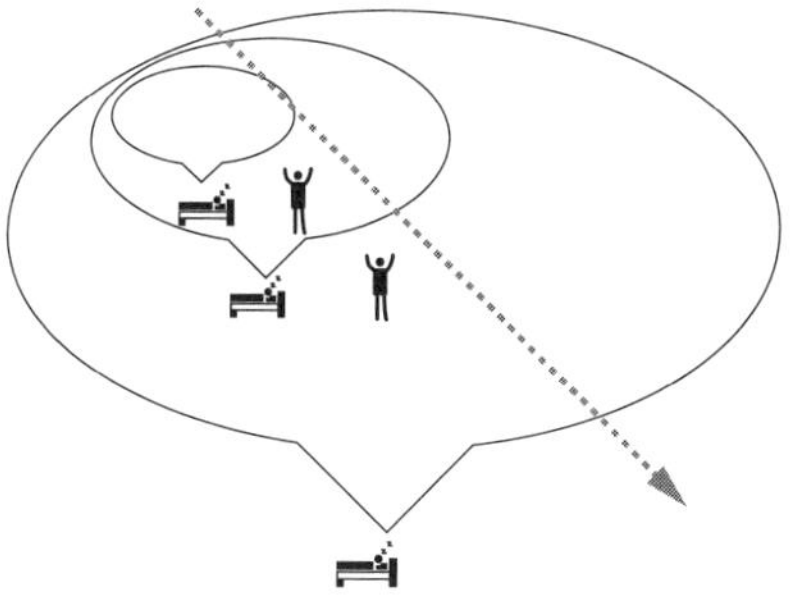

この夢の懐疑の可能性を、その可能性の限界にまで進めておこう。「すべては巨大な夢の中で起こっていて、その外は無なのかもしれない。」これは、懐疑論の問いを形象化したものなので、これまでその問いを追ってきて分かったことが、すべて当てはまる。

　夢の懐疑は、私たちが現実だと思っていたものに対して、それが夢の中である可能性を開く。その可能性は拡大して、すべてがその可能性の内に飲み込まれ、外の現実（実在）は、思っているのと違うかもしれないだけでなく、そもそも無い可能性までが開かれる。

その可能性を否定する試みは、懐疑論の問いに答える試みに対応する。「頬をつねって痛いかどうかを確かめる」等の感覚を持ち出しても、その可能性は否定できないだけでなく、いかなる証拠を持ち出してもその可能性は否定できない。また、因果関係や科学理論を持ち出したとしても、その否定の試みは成功しない。なぜならば、否定のために持ち出されるものはすべて、そっくりそのまま「巨大な夢」の中で起こっていることになって、可能性を肯定する一挿話（一部分）として働いてしまうからである。

自分の身体や脳もまた、例外ではない。通常の夢の場合には、身体や脳は、夢の内容（表象）を生み出す原因として、その夢の外で働く。しかし、その身体や脳の存在も「巨大な夢」の中に飲み込まれるので、実は（巨大な夢の外には）自分の身体や脳も存在しないのかもしれない。確実なのは、「私には身体や脳がある」という思いが存在することだけであり、その思いの内容は巨大な夢の一部なのである。

さらに、「私は部屋の中にいる（三次元空間の内に存在する）」という思いもまた同様である。すなわち、空間もまた、巨大な夢の中の空間表象にすぎず、その外には空間も存在しない可能性がある。巨大な夢自体は、空っぽの空間の内に浮かんでいる巨大なアドバルーンではない。先ほどの図では、大きな吹き出しが帰属する先として、ベッドに横たわる人の絵があった。しかし、その表象は不完全だったのである。拡大する吹き出しの無限反復としての巨大な夢には、そのような帰属先（脳や身体）はまったく無いのかもしれない。巨大な夢の外の「無」は、空っぽの空間のように表象するのは間違いであって、その「無」は、「空っぽの空間」自体もまた無いという「無」でなければならない。

全面的な無の可能性に晒《さら》されながら、なお唯一疑うことができない仕方で存在しているのが、私の思い（コギト）である。夢の懐疑では、巨大な夢そのもの、すなわち「夢の中なのかもしれない」という疑いが無限に反復すること自体が、その唯一確実に存在する私の思い（コギト）に他ならない。その無限反復の外に、私という主体が存在してその疑いを遂行するのではない。疑いの遂行とその無限反復の可能性自体が、私という存在なのである。ここでは、思考としての私が巨大な夢の存在そのものである。

†五分前世界創造説

先ほど、「空間もまた、巨大な夢の中の空間表象にすぎず、その外には空間も存在しない可能性がある」と述べた。この懐疑論は、「私の思い＝巨大な夢」の外の実在世界を疑っているので、「**外的世界についての懐疑論**」と呼ばれる。このように外的世界＝空間の存在が懐疑に晒されるならば、もちろん時間の存在も懐疑に晒される。外的世界についての懐疑論の時間バージョンが、「五分前世界創造説」――過去世界についての懐疑論――である。ネーゲルのテキストでは、次の問いがそれに当たる。

> 現在の記憶をすべて完全に持ったまま、自分はわずか数分前に誕生したのではないことを、どのようにして知るのか[7]？

これは「どのようにしても知ることはできないのではないか？」という反語的な問いである。この問いは、バートランド・ラッセルの著作の次の箇所に由来する。ラッセルの意図は懐疑論を展開することではないが、ラッセルの意図とは独立に、この箇所は過去の実在性についての懐疑論のように読むことができる。

> （……）次のように仮定することも論理的には不可能ではない。実は世界は五分前に、その五分前の時点での姿でそっくりそのまま、しかも、まったく実在しない（それ以前の）過去を「覚えている」という人々を含んだ状態で、突然存在し始めた、という想定である。（*The Analysis of Mind*, 1921, p.161.）

彼ら【引用者補足：或る反進化論者】によると、世界は紀元前四〇〇四年に創造された。その際にわれわれの信仰を試すために、諸々の化石が忍び込まされた状態で、世界は創造された。この見解には、なんら論理的不可能性はない。それと同様に、世界は記憶や記録を完全に備えた状態で五分前に創造されたという見解にも、なんら論理的不可能性はない。それらは、ありそうにもない仮説に見えるかもしれないが、論理的には論駁不可能である。（*An Outline of Philosophy*, 1927, p.7.）

外的世界についての懐疑論（夢の懐疑）と過去世界についての懐疑論（五分前世界創造説）のあいだには、パラレルな関係がある。

外的世界の存在が疑われるとき、その疑いは二つの局面に分けられた。一つは、外的世界は存在するが、その存在の在り方（どのようであるか）は、思っているのとはまったく異なるかもしれないという疑いであり、もう一つは、そもそも外的世界は存在しないかもしれない（無かもしれない）という疑いであった。

それとパラレルに、過去世界の存在について疑うときにも、次の二つの局面を区別することができる。一つは、過去世界（過去実在）は存在するが、記憶・想起される過去の在り方（どのような過去だったか）とはまったく異なる可能性を疑う局面であり、もう一つは、そもそも過去世界（過去実在）は存在しない可能性を疑う局面である。

五分前世界創造説において、なぜ「五分前」という設定が必要なのか？と問うてみるといいだろう。その設定は、疑いに二つの局面があることと結びついているからである。

その五分間は（短いけれども）実在する過去である。その五分間のあいだに、私や宇宙は誕生し成長し今ある姿になっている。しかし、その実在する過去の姿と、想起される過去の姿とは、大きく異なっている。「私は五分前には本を読んでいる最中だった。宇宙の誕生は一四〇億年ほど前だったはずだ」と記憶・想起されているのだから。この「五分間」の設定があることによって、実在する過去の在り方と想起内の過去の在り方が異なっていて、両者がズレる局面が可能になっている。

それに対して、その五分間よりもっと前の過去世界は、端的に存在しない。この設定は、疑いのもう一つの局面である「実在は（現れと異なるのではなく）そもそも存在しないかもしれない」に対応している。「世界はすべて五分前に誕生したのかもしれない」という想定では、在り方（の違い）への疑いと、存在自体への疑いという二つの局面が、（直近の五分間とそれ以前に割り振られて）一挙に表現されている。この思考実験に「五分前」「数分前」という設定を組み込んでおくことは、その二局面をカバーするために、必要なことだったのである。

外的世界についての懐疑論（夢の懐疑）と過去世界についての懐疑論（五分前世界創造説）は、このようにパラレルなだけではなく、〈私・今の思い〉の存在という、それだけは疑い得ない特異点を共有している。その特異点だけが例外として疑いを免れ、その他の外的世界や過去の実在は、すべて疑うことが可能である。〈私・今の思い〉だけは確実に存在するが、外的世界も過去実在も、ほんとうは存在しないのかもしれない。

†懐疑論と独我論の違い

懐疑論における「〈私・今〉だけが唯一確実に存在している」という部分から、独我論や独今論のことを思い浮かべる人もいるかもしれない。独我論は「ほんとうに存在するのは現に私だけである」と主張し、独今論は「ほんとうに存在するのは現に今だけである」と主張するからである。

しかし、ここまで見てきた懐疑論（外的世界についての懐疑論や過去実在についての懐疑論）は、独我論や独今論とは違う。その違いを、正確に捉えておく必要がある。ポイントは、**可能性**と**現実性**の違いであり、**認識論**と**存在論**の違いである。

まず、懐疑論も独我論・独今論も、唯一確実な私・今の存在を出発点として共有している。〈私の・今の思い〉が現に生じている。この**現実性**こそが、両者に共通の出発点である。

ここから、懐疑論のほうは、〈私の・今の思い〉以外の外部は存在しないかもしれないという**可能性**を導く。他方、独我論・独今論のほうは、〈私の・今の思い〉以外の外部は現に存在しないという**現実性**を導く。懐疑論は、外部の非存在の**可能性**を述べるのに留めているが、独我論・独今論のほうは、外部の非存在が**現実である**と断定する。同じ〈私・今〉の現実存在から出発しても、そこから外部の無の**可能性**を導くのが懐疑論であり、外部の無の**現実性**を導くのが独我論・独今論である。

両者の違いを、「知の否定」と「存在の否定」の違いとして、すなわち**認識論的な否定**と**存在論的な否定**の違いとして、次のように対照することもできる。

懐疑論：〈私・今の思い＝存在〉の外部は、存在すると確実には知ってはいない。
独我論・独今論：〈私・今の思い＝存在〉の外部は、現に端的に存在していない。

この違いは、認識論vs存在論の対立であると同時に、**可能性の開かれ**vs**現実性の閉じ**という対立でもある。この対立は、共有していた同じ出発点（コギト）についての初発のすれ違い（強調点の違い）が顕在化したものだとも言える。〈私・今の思い＝存在〉は繰り返すことが可能なものなのか、それとも〈私・今の思い＝存在〉は一回限りのものなのか。これは、**反復可能性と一回性**の対立である。反復可能なコギトは、「**現実性の相＋可能性の相**」の両方で見られるが、一回限りのコギトは、「**現実性の相**」でしか見ることができない。[8]この違いは、「魂」についての考察で重要になる（一九二―一九三頁参照）。

この章のテーマ「どのようにして私たちは何かを知るのか？」は、懐疑論の問いであって、独我論・独今論ではない。しかし、両者はすれ違いながらも、出会ってもいる。

†検証主義による懐疑論批判

「どのようにして私たちは何かを知るのか？」という問いは、「どのようにしても、私たちは誰であっても、心の外部の世界を知ることはできないのではないか？」という懐疑論の問いであった。

ここまで、その懐疑論の問いに答えは与えられていない（こうしたら知ることができるという答えは出ていない）。実験・観察を含むどんな証拠・経験を挙げたとしても、答えたことにはならなかった。また、因果関係や理論・モデルという考え方を使っても、答えたことにはならなかった。ではもう諦めて、懐疑論に賛同して、「その通り、知ることはできない！」と答えるしかないのだろうか。

そう答えてしまうのは、早計である。懐疑論に対して抵抗する道は、まだ残されている。しかも、これまでの答えの試みとは、まったく異なる方向からの懐疑論批判が、まだ残されている。それが、**検証主義**（verificationism）による懐疑論批判である。その新たな批判の仕方を、しばらく追いかけてみよう。視点を交代して、しばらくのあいだ、反懐疑論側に立って考える。ここでも、あの**ジグザグ運動**を行う。

これまでの答えの試みでは、「懐疑論は誤っている」ことを示そうとしていた。懐疑論が「外的世界は存在しない可能性がある」と主張していたのに対して、答える側は「その可能性を否定できる」「外的世界は存在する」（ので懐疑論は誤っている）と言おうとしていた。

ところで、ある主張が「正しかったり誤っていたり（真であったり偽であったり）」できるためには、そもそもその主張に「意味」が成立していなければならない。真偽の区別は、「意味」が成り立っていて初めてできる区別なので、ある主張を真である／偽であると言うときには、すでにその主張には意味が成立している（有意味である）と認めていることになる。

たとえば、「地球は太陽よりも小さい惑星である」は真であり、「太陽は地球よりも小さい惑星である」は偽である。どちらの主張も、真であれ偽であれ、その「意味」は理解できる。それに対して、「上は下よりも右である」の場合はどうだろうか？　真なのか？　偽なのか？　いや、そもそもそれ以前に、「意味」が理解できない。そもそも、「意味」が成立していない（無意味な）ので、真か偽かを決められる段階に達していない。真偽の手前に「意味」の水準があって、その水準が満たされないと（有意味にならないと）、真偽の可能性が開かれない（左上の図を参照）。要するに、「上は下よりも右である」は無意味なので、真でも偽でもない。

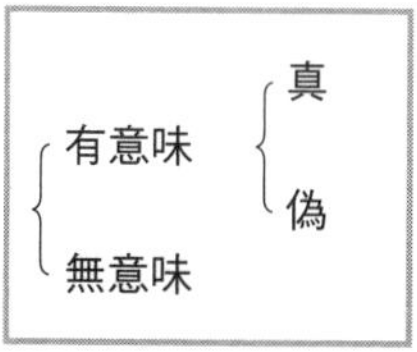

　これから見ていく、検証主義による懐疑論批判は、「懐疑論は誤っている」ではなくて、「懐疑論は無意味である」「懐疑論の言っていることには、意味が成立していない」という批判を向ける。これまでの答えの試みは真偽の水準で批判を試みていたが、検証主義による批判は、より深いレベル（意味の水準）で批判を試みることになる。「有意味／無意味」「意味が成立している／成立していない」を分ける基準は、何だろうか？　検証主義は、その基準として「検証可能性」（認識によって確かめることが原理的に可能であること）を呈示する。

　注意しておきたい点がある。「認識によって確かめる」というのは観察のことであるから、それは、すでに失敗した答えなのではないか？

と誤解してしまう人がいるかもしれない。しかし、そうではない。認識（観察）をまったく**異なる水準**（**意味の水準**）で使おうとしていることを、見逃してはならない。「外的世界を、観察等によって確かめる」と言っているのではない。そうではなくて、「観察等による認識（検証）が可能であることが、存在する／存在しないの区別を有意味にする」と言っているのである。

以下、この「**検証可能性**」に基づく**有意味性の条件**を、三つの側面（1）（2）（3）からまとめておこう。

（1）

「実在する」が有意味であるためには、その「実在する」ことを、誰かが何らかの仕方で検証可能（認識可能）でなければならない。

この条件は、「実在」という概念に対して、検証主義の考え方を適用したものである。この条件は、（対偶を使うと）次のように言い換えることができる。

誰にもどんな仕方でも検証不可能（認識不可能）であるならば、「実在する」は無意味になる。

「実在する」が誤りであると言っているのではなく、誤りになることすらできなくて、それ以前の段階の「無意味である」と言っているのである。

（2）

「実在しない」「夢や幻である」が有意味であるためには、その「実在しない」「夢や幻である」ことを、誰かが何らかの仕方で検証可能（認識可能）でなければならない。

こちらは、「実在する」の否定形である「実在しない」ことの有意味性の条件を述べている。（実在しないものの例としての）夢が、「夢」としての意味を持つためには、それが「夢である」と認識できるのでなければならない。「実在する」も「実在しない」も、検証可能性（認識可能性）の条件を満たしてこそ、有意味になる。

ただし、「実在する／実在しない」（肯定・否定）は、イーブンで対称的なわけではない点にも注意しておこう。

「夢である」が検証される（目が覚めて夢だったと気づく）場合に、その検証（気づき）は夢ではなく現実の認識でなければならない。

「夢である」が、（検証不可能ではないが）まだ検証（認識）されていない場合はどうだろうか？　それは、とりあえず夢でなくて現実である（とされる）。

これらの点に、否定に対する肯定の（夢に対する現実の）優位という非対称性が表れている。このような側面は、次のように表現できる。

（3）

実在と一致しない現れ（夢や幻影等）が有意味であるためには、実在と一致する現れ（正常な知覚等）へと訴えることが可能でなければならない。また、前者は後者によって訂正可能（正しく認識し直すことが可能）でなければならない。

検証主義は、観察等による検証（認識）を重視しているが、その観察等による検証（認識）がつねに正しいと言っているわけではない。むしろ、観察は誤りうる。しかし、その

「誤り」が「誤り」として意味を持つためには、「正しい認識」すなわち「実在と一致する現れ」が可能でなければならない、と、検証主義は主張する。その「正しさ」は、「誤り」の有意味性の条件である。「誤り」は、その「正しさ」へと可能的に開かれていることによって、初めて「誤り」でありうる。すなわち、原理的に「訂正可能性」がない場合には、誤りは「誤り」としての意味を失う。

さて、懐疑論の問いは、認識外のY（実在）についての問いであった。それは、認識内のY（現れたY）ではないので、いっさい誰にもどんな仕方でも認識され得ない。そうすると、実在Yとは、誰かに何らかの仕方で実在として認識されうる可能性が端《はな》から奪われていることになる。これは、（1）の条件に反している。ゆえに、「誰にも認識し得ない実在」という概念は無意味である。検証主義は、懐疑論の実在概念をそのように批判する。

懐疑論は、その疑いを「認識外のY（実在）は存在しないかもしれない」にまで進めて、それを「すべては巨大な夢の中で起こっていて、その外は無なのかもしれない」という可能性として考える。しかし、検証主義の（2）に基づくならば、「巨大な夢」は、「夢」という概念としては成立し得ない（無意味になる）。「巨大な夢」は、その外に出て「夢だった」と認識することが不可能なので、（2）の条件に反している。

あるいは、次のように考えることもできる。「巨大な夢」は、その外に出ることを完了することはできないとしても、いったん外に出て、とりあえず「夢だった」と認識することは（途中経過としては）ありうる。「巨大な夢」とは、「夢から覚めたと思ったら、それも夢で、その夢からも覚めたと思ったら、それもまた夢で……」の無限反復の可能性であり、その一局面では、外からの認識はいったんは可能だからである。このように考えるならば、「巨大な夢」は、夢であると検証可能でありながらも、その検証はまだ完了していない状態に等しくなる。その場合には、肯定優位の非対称な関係により、「巨大な夢」は、夢として認定されない限りは、夢ではなく現実とみなされる。

いずれにしても、懐疑論の「巨大な夢」は、「夢」としては意味を失う（無意味になる）。そのように、検証主義は懐疑論を批判する。

懐疑論は、認識内のYと認識外のYのあいだに隙間（亀裂）を開き、「認識内のYだけが存在して、認識外のYはほんとうは存在しないのかもしれない」、あるいは「認識外のYは存在はしていても、その在り方は認識内のYとは似ても似つかないかもしれない」と疑った。ということは、懐疑論は、私たちが「全面的に誤っているかもしれない」という疑い（可能性）を呈示していることになる。

しかし、有意味性の条件（3）に基づいて、検証主義は「全面的に誤っているかもしれない」は、そもそも無意味であると批判する。「誤り」は、訂正可能性へと開かれ、可能的な「正しさ」に支えられていなければ、そもそも「誤り」として意味をなさない（無意味になる）。

結局、検証主義の考え方に基づくならば、懐疑論は、意味が成立していない（無意味な）概念を使って、あたかも意味が成立している（有意味な）問いを呈示していると、思い違いをしているのである。

†懐疑論からの反論

検証主義の考え方のエッセンスをまとめると、次のように表現できる。

存在するとは、存在すると認識可能なことである。

この一文からは、次の三点を読み取ることができる。

①意味の成立をベースにして考えている。
②そのうえで存在の水準よりも認識の水準のほうが優位にある。
③（実際にどうかよりも）可能性が重要である。

「存在する」という概念の成立条件が問題になっていることが、「とは」（＝ということは）に読み取れる（①）。その存在概念は認識に依存していることが、「とは、……ことである」に読み取れる（②）。ベースとしての認識は（いまここで成立している必要はなく）原理的な可能性さえあればよいという点が、「認識可能」に読み取れる（③）。

さて、もう一度視点を懐疑論側に戻して、**ジグザグ運動**（五〇、七〇頁参照）の続きを考えてみよう。検証主義による批判は、懐疑論側からはどう見えるのか？　懐疑論側が反論するためには、どのように考えればよいのか？

懐疑論は、存在概念と認識の関係を次のように逆転する。

存在するとは、存在すると認識できなくとも、それでも存在しうることである。

存在概念が認識を超えて成立しうる点が、その「逆転」の肝である。これは、②の優位性に関する、検証主義と懐疑論の対立点である。②の点では対立し争うが、①の「意味の成立をベースにして考えている」点、③の「（実際にどうかよりも）可能性が重要である」点においては、両者は対立しない（むしろ一致している）。懐疑論もまた、「存在するとは」という存在概念（意味）を扱い、「存在しうる」という可能性に注目する。対立するためには土俵を共有する。①③という共通の土俵上で、②という争点で対立する。

懐疑論では、存在概念（意味）の内には、「認識はいっさいできなくとも、それでもなお存在するかもしれない」という可能性が含まれている。すなわち、存在概念は認識概念をはみ出す意味を、元々持っている。それゆえ、「誰にも認識し得ない実在」という概念は無意味ではない。その概念の有意味性に基づいて、懐疑論は「実在は現れる姿とはまったく異なっているかもしれない」「実在はそもそも無であり、現れだけが生じているのかもしれない」という可能性を考えることができる。

検証主義にとっては、「（存在すると）認識できるからこそ、存在することになる」のであるが、懐疑論にとっては、順序が逆である。「存在するからこそ、（その存在を）認識できる」。この順序の逆転は、存在概念が認識を超え出ていることを表している。そこで、「存在しても、（その存在を）認識できない」こともありうるし、さらに「ほんとうは存在しないが、認識だけが生じている」こともありうる（夢や幻の場合のように）。「実在なしで認識だけが生じている」ことは、「外部の無い巨大な夢」として表象されていた。検証主義からは、そのような「巨大な夢」概念は無意味であり、「夢」といっても、ふつうの現実と変わらなくなる（「現実」という意味になってしまう）と批判されていた。

しかし、この点についても、懐疑論側は次のように反論することができる。その反論で明らかになるのは、共有していた①の意味（概念）の水準においても、懐疑論と検証主義のあいだには、対立点があることである。いわば、共通の土俵であっても、その土俵の円の大きさ（寸法）をどうするかについては争いうる。以下は、懐疑論による「意味（概念）」についての考察と、それに基づく検証主義への反論である。

「夢」という概念を身につける場面（幼児の言語習得など）では、検証主義の主張は正しい。たとえば、幼児がお化けの夢を見て、目が覚めて泣いている。母親がやって来て「大丈夫、夢を見ただけ。ただの夢。お化けはもうどこにもいないでしょ」と言いながら、慰めてくれる。こういう文脈・状況の中で、幼児は「夢」概念を習得していく。たしかに、検証主義の言うとおりで、「夢だったのだ」と夢から覚めて現実の認識が可能である場面がなければ、そもそも「夢」という概念を学ぶことさえできない。「夢」概念の成立のために、検証主義的な条件を満たすことが必要である。

しかし、概念は習得されるだけではない。習得し習熟した後には、拡張使用が許されている。概念の習得時には必要だった文脈・状況から切り離されて、さらに検証主義的な条件からも逸脱して、それでもなお、当の概念を拡張して使うことは禁じられていない。「夢」という概念は、目が覚めて「夢だった」と分かる場面を超えて、「人生全体が夢である」のように（覚めることはできない場面でも）使うことができる。

「夢」概念を、外部を飲み込む仕方で拡張使用できるのと同様に、たとえば「不幸」という概念にも拡張使用が考えられる。「人生の中に幸福なことと不幸なことがある」から、「生きていること自体が不幸である」への拡張使用は、一部分に適用されていた概念が、全体に及ぶように拡張使用されている。これは「夢」の拡張使用に似ている。(9)

いずれにしても、概念の使用は、検証主義的な条件に単に縛られっぱなしではない。概念の意味は、もっと自由で柔軟である。

これが、意味（概念）の水準における、検証主義に対する懐疑論側の反論である。意味（概念）の成立を、縛りの強い条件で考えるか、もっと緩い条件で考えるかの点で、検証主義と懐疑論は対立している。そして、懐疑論側の「意味（概念）」観に基づくならば、拡張した「夢」概念を使用して述べる「すべては巨大な夢の中で起こっていて、その外は無なのかもしれない」という懐疑は、無意味ではなくなる。逆に、その点を批判する検証主義の主張は、的を外すことになる。

†その先の攻防

さらにこの先の**ジグザグ運動**のやり取りを、想定することも可能である。検証主義からの懐疑論への更なる応答、そして懐疑論からの検証主義への更なる応答である。この攻防を繰り返すことによって、両者は自らが何者であるかを、より明確にするだろう。左頁のようなイメージを持って、以下の懐疑論と検証主義のやり取りを追いかけていただきたい。

検証主義は、懐疑論の「概念の拡張」という考え方に対して、それを受け入れたうえで、次のように批判を続けることができる。以下、検証主義側の考えを記す。

たしかに、概念の拡張はありうる。しかし、概念の拡張には、必ず認識の拡張が伴っていなければならない。概念は勝手に拡張できるわけではなく、認識の水準での拡張が、概念の拡張を裏打ちしていなければならない。重要なのは、拡張された認識可能性である。「夢」や「不幸」概念を拡張使用できるようになるのも、人生経験を積むこと等を経て、認識できる範囲が拡大したからである。しかし、懐疑論による概念の拡張使用

（巨大な夢）には、そのような認識論的な裏付けがない。

懐疑論は、「存在するとは、存在すると認識できなくとも、それでも存在しうることである」と主張する。この主張も、本当は認識の拡張によって裏打ちされている。「存在すると認識できなくとも、存在しうる」という可能性の理解は、学習・経験・信念……等々を通じて初めて獲得されるものである。すなわち、懐疑論の言う「認識不可能な存在」という概念もまた、そういう概念を身につける機会を通じて、そういう在り方の存在として認識可能になる。認識不可能性もまた、（認識不可能性として）認識されうるのでなければならない。

こうした認識の拡張を通じて、検証主義の基本の考え方は維持され貫徹される。

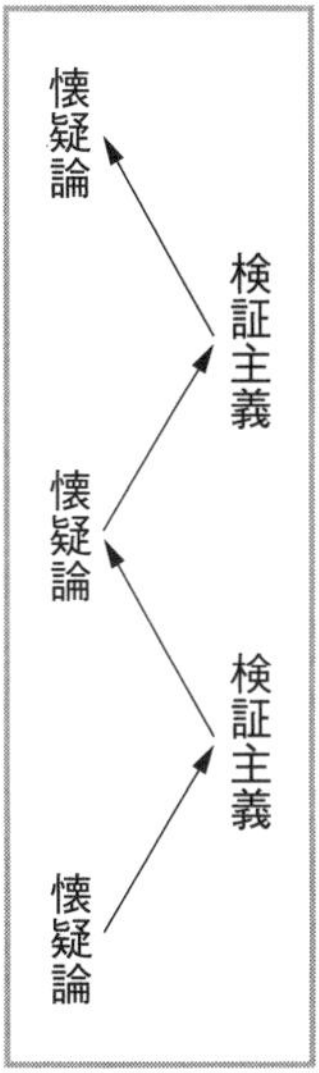

さらにもう一度、懐疑論側に視点を戻して、検証主義の拡張される「認識」が、そちらからどのように見えるかを、考えておこう。検証主義による「認識の拡張可能性」——認識不可能

な存在までも認識の内に飲み込みうること――は、懐疑論にとって、「近くて遠いもの」のように見えるのではないだろうか。以下、懐疑論側の考えを記す。

検証主義が、最終審級として訴えかける「拡張される可能的な認識」は、特権的に真なる認識である。それは、事実として真なる認識なのではなく、権利上あるいは理論上、偽ではあり得ない認識であり、真偽を開くために真でしかあり得ない認識である。

そのような特権的な認識は、懐疑論自身にとっても、身に覚えがある在り方である。懐疑論にとっての出発点であったコギト（私の思いの存在）が、それに似ているからである。コギトは、偽ではあり得ない認識＝存在であり、真偽を疑いうるためにも真でしかあり得ない認識＝存在である。検証主義の最終審級としての認識は、コギトのようなものなのか？　最後の段階で、検証主義は懐疑論（の出発点）へと近づいてきたのか？あるいは、コギトを出発点として膨らむ「巨大な夢」と「拡張された可能的な認識」は似ていないだろうか？　私たち（懐疑論者と検証主義者）は、その外がない特権的な認識に依拠している点で、似たものどうしなのだろうか？

いや違う。懐疑論にとっては、「巨大な夢」の外は、認識の及ばない存在あるいは無として残されるが、検証主義にとっては、「拡張された可能的な認識」の外は、無意味である。

また、コギト（私の思いの存在）の確実さは、それ以外のいっさいへの疑いとともにある（表裏一体である）が、最終審級の認識の可能性は、全面的な疑いを（無意味なものとして）封じようとしている。特権的な認識の使われ方が、まるで逆である。

さらに、検証主義の場合には、その特権性のコアには「可能性」が位置する。しかし、コギト（私の思いの存在）の特権性のコアには「現実性」が位置する。「現実性」は、「一回性」（私がこう思うこの今の現実性）でもある。コギトに「可能性」が入り込んでくるのは、一回性から反復（私が思いを抱くそのつどの現実性）へと転落することによってである。また、懐疑論における「私の思いの現実存在」と、検証主義における「私たちの可能的な認識という審級」のあいだには、超えられない溝がある。

コギトは懐疑が始まる出発点であるのに対して、最終審級（可能的な認識）は、その懐疑が消えゆく僻地《へきち》である。コギトは徹底した懐疑と表裏一体であるが、最終審級（可能的な認識）は、懐疑を挫《くじ》き排斥する。コギトは、あたかも無限円の中心点のように働き、最終審級（可能的な認識）は、無限円の最遠縁《へり》であるかのように現れる。

このように、懐疑論と検証主義のあいだの攻防関係は、反発と接近を繰り返して続いていくことが、予想される。

†懐疑論と検証主義を俯瞰する

懐疑論と検証主義から、いくらか距離を取って、両者を振り返り俯瞰《ふかん》しておく。

そもそもの両者の対立は、意味（概念）の水準を共通の土俵として、その上で、存在概念に優位性を置くか、認識概念に優位性を置くかで争っていた。「存在するから認識できる（存在しても認識できないこともある）のか」それとも「認識できるから存在することになる」のか。そのような対立であった。次頁の図の下の半円がその共通の土俵（意味論）を表し、その上に存在論と認識論の対立が乗っかっている。

しかし、その議論が進んでいくと、図のような三つの水準の関係性自体が、以下のように変容する。

検証主義にとっては、意味（概念）を成立させる条件は、経験によって検証しうる認識論的な水準であったが、さらにその認識論的な水準は、可能的な経験として無限に拡張して、最終審級として働く。つまり、認識論的な水準は、土俵として働いていた意味論的な水準の、さらにその土台として食い込んで働く。八八頁の右の円では、「認識論」が一番下に来て、土台になっている。

懐疑論は、その最終審級としての可能的な認識さえ超え出るところに、存在の水準を見ようとしていた。ということは、懐疑論にとっては、意味論的な水準の更なる土台として働く認識論的な水準をも、さらに突破するのが存在論的な水準であることになる。そうすると、懐疑論は、「存在」という意味（概念）の優位性に安んじて疑うだけでは済まなくなる。疑いを促す存在は、「存在」概念を突破する存在だからである。「存在する」という意味（概念）からも溢れ出る「存在そのもの」に、懐疑論は直面せざるを得ないはずである。八八頁の左の円では、「存在論」が一番下へと移動して、土台になっている。

この相互突破の関係を考えるとき、ここに（懐疑論と区別された）独我論・独今論を加えて考えると、さらに興味深い。

「**懐疑論と独我論の違い**」の節で述べたように、両者を分ける一線は「可能性と現実性」にある。[10] 懐疑論と検証主義（の相互突破の関係）は、すべて「可能性の文脈」において行われている。意味（概念）自体が可能性を開く場であるし、その意味の水準を支える土台としての可能的な認識、その認識の可能性を超え出て存在する（あるいは無である）可能性……というように、すべてが**可能性の文脈**の内で動いている。

しかし、独我論・独今論はそうではなかった。独我論は「ほんとうに存在するのは現に私だけである」と主張し、独今論は「ほんとうに存在するのは現に今だけである」と主張する。この「現に……である」が、**現実性**を表している。

独我論・独今論の「現実性」は、もう可能性の文脈そのものを突破しようとしている「現に」である。つまり、可能性の内に位置づけられる現実性ではない。

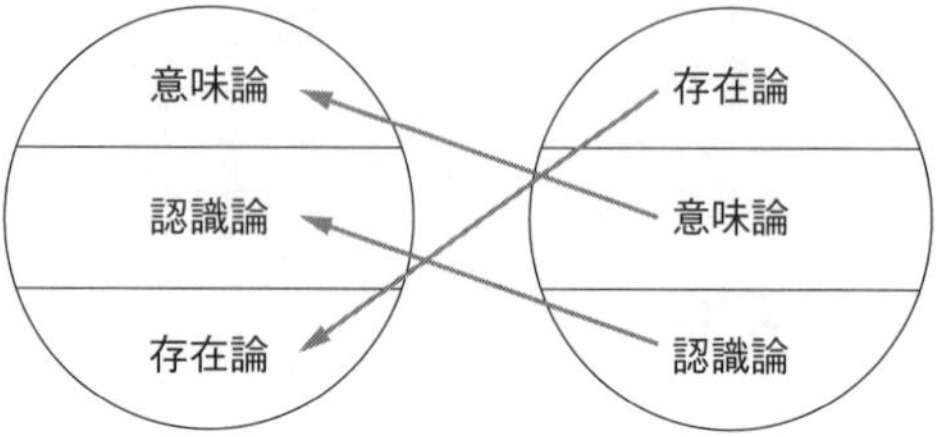

たしかに、懐疑論や検証主義も、現実の存在や現実の認識を射程に入れてはいる。しかしそれは、「ある／ないがどちらも可能である現実の存在」であるし、「現実を定めるための可能的な認識」である。あくまでも、現実性は可能性の文脈の内に留まっている。

それに対して、独我論・独今論の「私」「今」は、むしろ、そうでない可能性がいっさい尽きたところでの、ということは可能性とは無縁になった「私」であり「今」である。剝き出しの現実性に晒された「私」「今」に関する論としての「独我論」「独今論」は、可能性の文脈の外であることによって、同時に「知る／知らない」の問題からも逸脱している。だから、独我論・独今論は、「どのようにして私たちは何かを知るのか？」という問いの力が、すんでのところで届かない圏外にある。

†知と信、そして自然的態度

「どのようにして……知るのか？」という問いの力が、すんでのところで届かないもう一つの圏外が、「**信**（**信じること**）」である。これまでの問いは、「どのようにして……知るのか？」「どのようにしても、知りえないのではないか？」のように、「**知**（**知ること**）」をめぐる問題であった。だからこそ、根拠が求められ、議論が行われ、批判と反論の攻防があった。それらはすべて、「知」の圏内で行われていた。しかし、「知」ではない「信」においては、それらの知的な議論はすべて頓挫する。

ネーゲルのテキストには、次のような記述がある。

それでも、こうした議論がすべて行われても、自分の周囲の世界にあるすべての物事は、ほんとうは存在しないかもしれないと、まともに信じることは実践的に不可能であると、私は認めざるを得ません。私たちが外的世界の存在を受け入れることは、本能的であり強力なので、哲学的な議論によって、それを取り除くことなどできるわけがありません。あたかも他者たちや物事が存在しているかのように、行為し続けるだけでなく、存在しているのだと実際に信じているのです。たとえ、このように信じていることには根拠がないと示す議論を通過した後でさえも、それでも信じるのです[11]。

このように、最終的な根拠のあるなしとは無関係に「信じる」態度を、「**自然的態度**」と呼んでおくことができる。その「自然的」には、いくつかの意味合いが含まれている。

- 外的世界は、理論や議論ではなく、実践的な行為の次元に存在する。
- 外的世界は、理性や知によってではなく、信じて受け入れられる。
- その行為や信念は、生物の本能的な事実として成立している。
- その行為や信念は、私たちのふつうの生活の中で続く。

このような「自然的態度」は、これまで行われてきた「哲学的議論」を頓挫させる。「自然的態度」には議論耐性もあって、「哲学的議論」に晒された後でも、びくともしない。いやむしろ、「哲学的議論」などとは無縁なまま営まれ続ける。懐疑論に対して反論もしないが、受け入れることもなく、疑いは端的に生じない。

さて、この「自然的態度」は、懐疑論側からはどう見えるのか？　この「自然的態度」に対して、懐疑論は何か言えるのか？　その点に言及して、この章を閉じよう。

懐疑論の問いの始まりを、もう一度思い出してもらいたい。

「太陽や月や星が輝いている」「家の近くに大きな木がある」……等々の「Y」（外的世界の中のものごと）が出発点にあった。これらの「Y」のポジションこそが、自然的態度によって信じられ受け入れられているものごとに相当する。

私たちは、実際の生活の中で行為するときに、これらの「Y」が存在することを、すでに受け入れている。まったく、「自然的態度」説の言う通りである。そのような「自然」が「自然に」営まれている状況は、まさにこちら（懐疑論）の問いの出発点であった（三七頁参照）。

だからこそ、自然的態度が受け入れている諸事実は、懐疑論側からは、議論の始まりになりうるように見える。懐疑論側から見れば、自然的態度は、疑いを終わらせる最終局面ではなく、むしろ開始点である。
そこから始まるということは、自然的な事実が、そういう始まりとして意識されるということである。そう意識されることで、事実はその意識を通じて現れている事実になる。家の近くに大きな木があるという事実は、「家の近くに大きな木がある」という意識を通じて現れる事実である。こうして、開始点から歩み出す。次のように記号化された。

【開始点：Y　一歩目：Y↑X↑】

懐疑論側から見れば、「開始点：Y」のYが自然的な諸事実（と自然的態度）であり、一歩目が懐疑論的な問いの始まりである。しかし、自然的態度の側から見れば、その「開始点：Y」は、「↑X↑」（Xを通して）が向かう先の「Y」と同じである限りは、すでに自然的態度の「Y」から逸れてしまっている。そのような懐疑論的な問いが始まりさえしないのが、自然的態度における「Y」だからである。この点は、次のように記号化して表象できる。点線による上下の区切りが、始まり以前と始まりを分ける。点線の矢印が、自然的態度と懐疑論は逆方向に向かっていることを表す。

自然的態度：Y
開始点：　　Y
一歩目：　　Y←X←

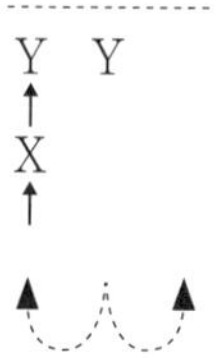

自然的態度にとっては、「家の近くに大きな木がある」と意識される以前のそれが、点線の上に位置する「Y」でなければならない。問いの始まり以前とは、そのそれが示す意識の外部である。

「(意識・問いからの)それ＝Yの退隠」は、懐疑論の問いを封じうるだろうか。いや、封じるどころか、いっそうドライブする。これまで追いかけてきた議論においても、実際にそのように働いていた。懐疑論の問いにおいてもまた、Y←X←は、Y←【Y←X←】へと移動した。【　】の外への退隠と点線上部への退隠は同型である。すなわち、懐疑論の問いは、Xを通して意識されるYの、さらに外部のYの存在へと向かう問いであった。

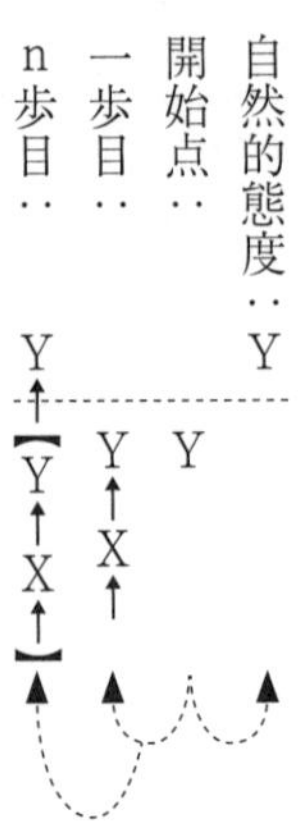

こうして眺めると、自然的態度のYと、懐疑論のn歩目のYは、同型的な外部の位置に退隠している。

しかしもちろん、懐疑論と自然的態度は同一ではない。問い続けることと問いが始まらないこと、知（知ること）と信（信じること）、哲学と自然とのあいだには、相変わらず亀裂が走っている。

その亀裂は、塞がれつつ開かれる。知と信の対立（亀裂あり）から始まり、懐疑論側は、問いの「先」と問いの「手前」に同型の外部を読み取る。それは、知の「最果て」と信の「最も手前」を重ねようとする試みである。その試みは、亀裂を塞ぎ、円環を閉じようとしている哲学的な考察（知）に他ならない。

しかし、そのような考察に対してもまた、自然的態度の側は冷淡であろう。亀裂を塞ぎ円環を閉じようとする試み自体から、自然的態度はなお無言で退いて、無縁のポジションを保持し続けるだろう。考察の試み自体（＝知）の外部で、自然的態度はただ営まれ続ける。このようにして、円環はけっして閉じない（亀裂は開かれたままになる）。

しかしさらに、「閉じと開き」のこのような繰り返しを、本章のように俯瞰して見て取ること自体は、これもまた哲学的考察である。

自然的態度は、哲学的考察の外と内に二重に現れていると言うこともできる。「端的な自然的態度」が外に、「そのように捉えられた自然的態度」が内に相当する。このような二重性は、哲学的考察（懐疑論と検証主義）の内部においても、すでに生じていた。Y←【Y←X←】の図式で、Yが【　】の外と内に二回出てくる点が、外なるY（認識外のY）と内なるY（認識内のY）の二重性を表していた。

こうして第2章では、懐疑論と検証主義、懐疑論と自然的態度というケースを通じて、二重の二重性の重なりとずれ——哲学の内なる二重性と哲学の内と外での二重性との重なりとずれ——を追いかけることによって、哲学的考察が実践された。

第3章

どのようにして私たちは他者の心を知るのか?

†第2章と第3章の関係

新たな章に入るにあたって、前章との「連続と非連続」をはっきりさせておくことが、重要である。連続については、比較的理解しやすいだろう。そもそも、章のタイトルに連続性があるのだから。

第2章　どのようにして私たちは何かを知るのか?
第3章　どのようにして私たちは他者の心を知るのか?

二つの問いの共通部分は、「どのようにして私たちは……知るのか?」である。第2章を通じて分かったように、「どのようにして私たちは……知るのか?」という問いは、懐疑論の問いとして問われていた。それは「どのようにしても私たちは……知ることができないのではないか?」という疑いに他ならなかった。問いの形式の連続性を重視して、第3章の問いも同様に読み取るならば、

「どのようにしても私たちは他者の心を知ることができないのではないか?」

という懐疑論の問いを問おうとしていることになる。

ここで、こう思われる読者がいるかもしれない。第2章の「何か」とは「任意のものごと」であり、それは「外的世界に存在するすべてのものごと」であった。問われているのは、「任意」「すべて」のことなのだから、当然その中には「他者」も含まれている。ならば、第2章の問いは、すでに「他者」を含めて問うていたことになる。わざわざ章を改めて、もう一度同じような問いを、繰り返す必要などあるのだろうか？「他者」は「世界の中のものごと」の一例なのだから、第3章は、第2章から事例を変えて同じ問いを反復するだけになるのではないか？

しかし、そうではないのである。問われているのは、「他者」ではなくて「他者の心」であることに、注意すべきである。問われているのがもし「他者」（自分ではない人物など）であったならば、たしかにそれは、第2章の「任意」「すべて」に含まれる一例であって、すでに第2章で問われていることになる。しかし、「他者」ではなく「他者の心」が問いの向かい先である。「他者」とは違って、「他者の心」は、第2章で問われた「外的世界の中のものごと」には含まれていない。逆に、「心」は「外的世界の中の一アイテム」ではないことが浮かび上がる。

問題の焦点を、「他者」とは異なる（外的世界内の他の「何か」とも異なる）「他者の心」に絞るために、ネーゲルの前掲テキストも、次のように述べている。

特別な種類の懐疑論が一つあって、それが問題であり続けます。たとえ、自分の心が唯一の確実な存在というわけではなくて、それ以外にも、自分自身の身体も含めて見たり感じたりしていると思われている周囲の物理的世界も、ほんとうに存在するとしておくとしても、問題であり続けるのです。それは、自分自身のとは別の心や経験について、その在り方あるいは存在自体さえ疑う懐疑論です(1)。

簡潔に述べられているが、第2章の「外的世界についての懐疑論」と第3章の「他者の心についての懐疑論」――**特別な種類の懐疑論**――を、明確に区別しようとしている。

その区別のために、第2章の懐疑論は、もうこれ以上問わないでおこうと言っている。すなわち、外的世界の存在についての疑いからは、もう解放されてよい。元通りの外的世界が回復された状態から、新たに問いをスタートさせようとしている。そうは言っても、外的世界についての懐疑論は、誤りであることが証明されたわけでも、無意味であることが判明したわけでもなかった。ある意味でまだ、外的世界についての懐疑論は「生き残って」はいる。しかし、もうこれ以上はこの懐疑論には関わらずに、そのまま「棚上げ」にしておこう、だから外的世界は存在するとみなしてよいことにしよう、と言っているので

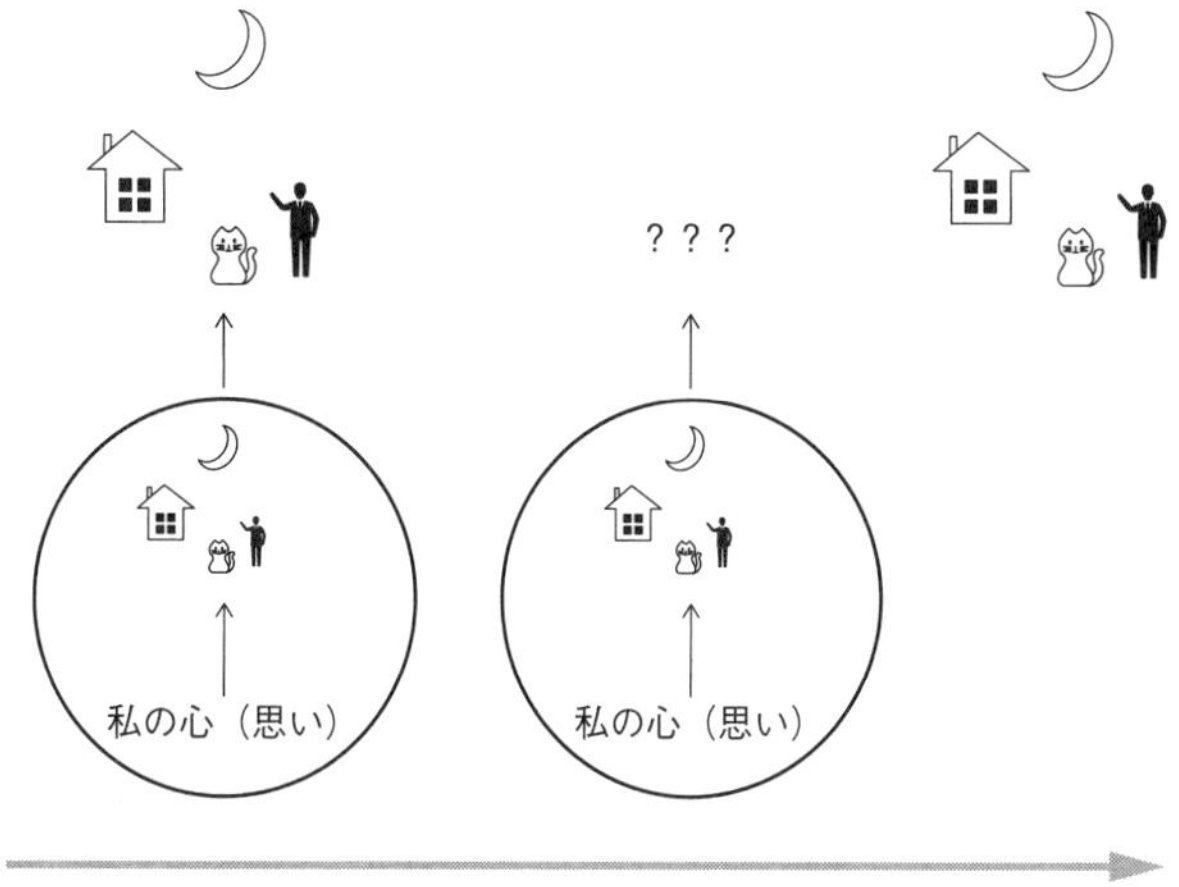

ある。その点が、「……ほんとうに存在すると、しておく（assume）」で表現されている。

上の一番左側の図が、外的世界についての懐疑論の問いの図式Y↑【Y↑X】に相当する。真ん中の図が、その問いの行き着く先（外的世界は存在しないかもしれない）を「？？？」で表している。さらに、一番右側の図は、そもそも疑われる以前の（自然的態度が捉える）外的世界の存在を表している。この一番右の「外的世界の存在を受け入れた」状態（外的世界の回復）からもう一度始めて、**特別な種類の懐疑論**を新たに問うのが、本章の「他者の心についての懐疑論」である。

先ほど、「心は外的世界の中の一アイテムではない」と述べた。その点について、説明しておこう。

そもそも、第2章において、確実に存在するコギトとしての「私の心（思い＝存在）」は、「外的世界の中の一アイテム」ではなかった。私の身体や脳ならば、外的世界の中の一アイテムとして、空間の内に存在するかもしれないし、しないかもしれない。しかし、身体や脳を含めたあらゆる世界内のアイテムを表象している私（思い＝存在）は、空間の内に位置づけられないし（cf. 巨大な夢）、通常の時間の内にも位置づけられない（cf. 五分前世界創造説）。だから、前頁の円（私の心）は、ほんとうは円の外の部分（外的世界）と空間的に並べて描くことはできない。それくらい、「心」のポジションは、すでに第2章において特別なものだった。

その特別さを前提にしたうえで、第3章では「私のとは別の心」が問われようとしている。もともと特別な「心」のポジションなのに、「私のとは別の」が加わることによって、さらに特別な位置づけになっている。

その特別な特別さを、あえて（不完全さを承知の上で）前頁の図に描き加えるならば、左頁の図のようになる。私の心とは別の、他人の心・猫の心（すなわち他者の心）が、元々の円に加わって、別の円として二つ描かれている。

もう外的世界の存在を疑うことはやめたので、この図の「月」や「家」や「猫」や「他人」の存在は、もう何も疑われていないし、私の心（思い）を通じて、知ることができる

（ということになっている）。もちろん、私の心（思い）の存在（元々の円）は、疑うことができない仕方で確実である。そのうえで、「私のとは別の心」（新たに加わった二つの円）について問う。「どうやって私たちは他者の心（＝別の円の存在や在り方）を知るのだろうか？」。この問いが、第3章の問いである。

ということは、図の他人や猫の身体（円の外）と、他人の心や猫の心（円の内）は区別されている。身体のほうは、月や家と並んで外的世界の中に存在するアイテムだが、心（円の内）のほうは、ほんとうは外的世界の中に並んで存在していない。

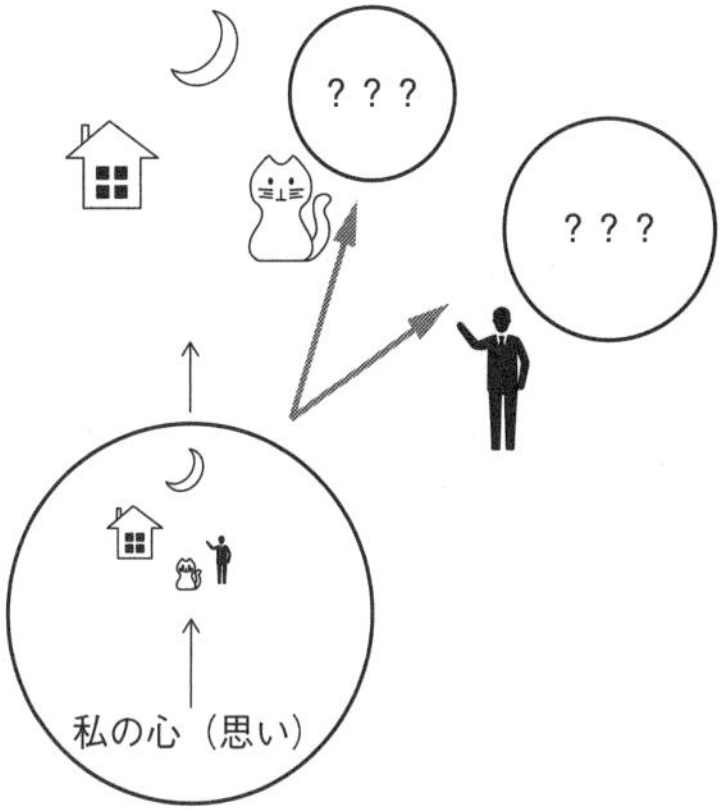

外的世界の中のアイテムとしては存在しないという点では、二つの円（他人の心・猫の心）と元々の円（私の心）は似ている。それが、「心」の特別な点である。しかしながら、私の心（思い）の存在は確実であるが、他人の心・猫の心のほうは、そうではない。だからこそ、それが問われる。

私の心（元々の円）と他人の心・猫の心（新た

に加わった二つの円）の違いを、次のように表現することもできる。第2章では、Y↑【Y↑X】における【 】の内と外の二つのYを区別するのに、「**認識内存在**」と「**認識外存在**」という表現を使った（五〇頁等参照）。【 】内が認識内（私の心の内）を表し、【 】の外が認識外（外的世界）を表した。この用語を応用するならば、次のように表現することができる。

グレーの囲み右側の上と下が第2章の「認識内存在と認識外存在」のペアであり、問われたのは「認識外存在」であった。それに対して、左側の上と下が第3章の「私の心」と「他者の心」のペアである。私の心はXで表すが、これからの議論で心が心自身の内奥へと向かうので、「X↓X」と表記する。左側の下では、Xとは異なる他者の心を表すためにダッシュを付けて、X'と表記する。他者の心がその心自身の内奥へと向かうので、それを「X'↑X'」と表記する。「**他の内奥**」「**外の内**」こそが、第3章の問題の焦点である。

私の心【Y↑X】　**外的世界**Y↑【**私の心**】
内の外（認識内存在）と　**外の外**（認識外存在）

私の心【X↓X】　**他者の心**【X'↑X'】↑Y↑【**私の心**】
内の内（認識内の内奥）と　**外の内**（認識外の他の内奥）

†存在自体と在り方の区別

このように「内と外」の区別は、第2章と第3章を貫く考え方であるが、二つの章を貫く考え方が、もう一つある。**存在自体**（existence）と**在り方**（nature）の区別である。

外的世界について疑う場合（第2章）、「外的世界は、認識されることから独立に、そもそも存在するのか？（別の仕方で存在しているのではないか？）」と疑うことと、「外的世界は、認識されているのと同じ仕方で存在するのか？」と疑うことを、区別することができた。前者が存在自体（existence）についての疑いであり、後者が在り方（nature）についての疑いである。

第2章では、次のように述べた（五八頁）。

「認識内のYだけが存在して、認識外のYはほんとうは存在しないのかもしれない」、あるいは「認識外のYは存在はしていても、その在り方は認識内のYとは似ても似つかないかもしれない」。これは、懐疑論の二つの局面である。[2]

在り方（nature）は「どのようであるか」「何であるか」を表すのに対して、存在自体

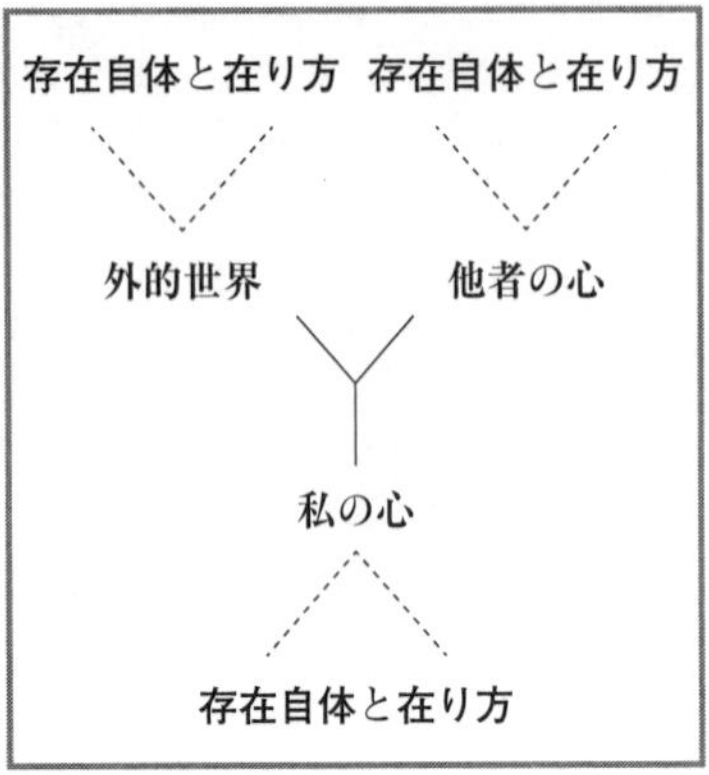

（existence）は「どのようであるか」「何であるか」とは無関係に、とにかく「存在する」ことを表す。そもそも存在しなければ、或る仕方で（何かとして）存在することも不可能であるから、その意味では、存在自体（existence）は在り方（nature）に先立つ。しかし、通常（ということは哲学をしないときには）、両者は特に区別はされずに一体化している。私たちは、在り方（nature）を通じて、存在すること（existence）を捉えている。

他者の心について疑う場合（第3章）でも、二つの局面を区別できる。「他者の心の内は、外から認識されることから独立に、そもそも存在するのか？」と疑うことと、「他者の心の内は、外から想定されているのと同じ仕方で、存在するのか？（別の仕方で存在しているのではないか？）」と疑うことを、区別できる。前者が**存在自体**（existence）についての疑いであり、後者が**在り方**（nature）についての疑いである。

他者の心が存在することに基づいてこそ、その心の内が、外から想定されているのと同じ仕方で存在するのか？（別の仕方で存在しているのではないか？）と疑うことができる。そもそも存在しないならば、同じ仕方／別の仕方は問題にさえできない。後者の在り方（nature）についての疑いよりも、前者の存在自体（existence）についての疑いのほうが、より強い疑い（より深いところへ及ぶ疑い）である。「外的世界の懐疑論」（第2章）と「他者の心についての懐疑論」（第3章）に加えて、両章の土台として働く「私の心」の場合も含め、右頁のように図式化しておこう。

†問うための基本の枠組み

ネーゲルのテキストの引用箇所で確認したように、外的世界についての懐疑論は「棚上げ」された。もうこれ以上は、疑いを向けないでおく。ということは、外的世界のYの存在自体とその在り方を、Xを通して、私たちは正しく観察・経験できている（としておく）。私の心を通じて【Y←X】、外的対象Yにまできちんと届いている（としておく）。これが、本章の出発点である。

外的対象 ← 観察・経験できている

Y ← 【Y←X】

Y←【Y←X】という基本の枠組みは、第2章から受け継がれているが、外的対象（外のY）への正しい観察【Y←X】が成立していることは、疑われていない（もう疑わない）。外的対象（外のY）のポジションには、他人や猫も代入できる。つまり、他人や猫についての観察（見たり・聞いたり……）は、適切にできる。単に他人や猫の物理的身体が見えたり、それに触れたりできるだけではない。どういう状況でどういう行動をとるか、何を食べ、どういう表情をするか、何を言うか（どういう声を発するか）……等々は、すべて観察できる。さらに、他人や猫の身体の内部構造や脳の活動が知りたければ、解剖などの手段を使うことによって、それらも観察できる。要するに、Yのポジションには、ありとあらゆる観察可能な事柄を代入できる。私自身の脳や身体も、同列のYの事例なので、私と他者の脳どうし・身体の内部どうしの比較も、もちろん観察可能である。

しかし、このような観察をどんなに拡張し、詳細に行ったとしても、それでも届かない領野をX'（Xではなくダッシュが付いている点に注意）で表す。X'が「私のとは別の心」である。私の心を通じた観察（認識）の拡張によっては、決定的に到達不可能なのが、X'（他者の心）である。

もちろん、他者（たとえば私の友人）が、「痛いんだ」と言いながら、顔をしかめれば、彼が痛みを感じていることは、私にも理解できる。しかし、直接感じられる自分の痛みのようには、友人の痛みは直接感じることはできない。間接的には分かっても、直接的には分からない。X'（他者の心）への到達できなさとは、X（私の心）の場合のように直接的に接近することができないことである。

間接的には接近できる。比例関係「私が直接感じる痛み（X）：私の発することば・表情（Y）＝ 私が感じられない友人の痛み（X'）：友人の発することば・表情（Y）」によって。言い換えれば、私自身のXとYの相関関係（両方とも観察可能）と友人のY（観察可能）の三つを使って、観察不可能なX'を推測・予想・想像・理解はできる。X'（他者の心）とは、X（私の心）の側からは間接的にしか接近できないポジションである。

次のように記号化しておこう。Yまでが観察可能な範囲内であり、記号「＝↑」は、観察が頓挫して到達不可能であることを表す。X'（他者の心）は、その向こうに退隠する。

X'＝↑Y↑【Y↑X】

この図式で表される基本の枠組みが、本章の出発点である。この図式の下で、「どのようにして私たちはX'（他者の心）を知るのだろうか？」が問われている。

†味覚の事例

基本の枠組みを使って問いを問うために、まず味覚の例から始めてみよう。ネーゲルのテキストから、味覚の例を述べたパラグラフを引用しよう。

> 単純な例を採り上げますが、自分と友人がチョコレートアイスクリームを食べているときに、彼にとっての味わいが、自分にとっての味わいと同じであるかどうかを、どのようにして知るのでしょうか。彼のアイスクリームの味見をすることはできますが、たとえ自分のものと同じ味がしたとしても、それは自分にとって同じ味がするということを表しているだけで、彼にとっての味わい方を経験してはいません。二人の味わいの経験を直接比較する方法など存在しないように思えます。(3)

「味わいの経験」と言われているものは、「チョコレート味」とか「甘さ」とかの記述によっては、単純には言い換えられない何かである。その「何か」は、「味見」という方法によって、どのように浮かび上がるのだろうか。その点が重要である。

味見をすることによって、私が「彼のもチョコレート味がする」「同じ甘さだね」と言ったとしよう。その場合、「同じであるかどうかを、どのようにして知るのでしょうか」に対して、〈味見によって〉と答えることができたことになるのだろうか。

いや、ならない。「チョコレート味」「甘さ」という記述（概念）ではなく、「チョコレート味」と言っているときの、本人の味わいの経験がどのようなものであり、「甘さ」と名指されている味が、どのように経験されているのかが問われているからである。「同じさ」が問われているのは、記述（概念）のレベルでの「同じさ」ではなくて、味わいの経験そのものの「同じさ」だからである。味見が教える後者のレベルでの「同じさ」は、私自身の経験どうしの「同じさ」であって、私の経験と彼の経験の「同じさ」ではない。「記述（概念）」と「直接経験」のあいだに隙間が空いていることが分かる。意味と体験のあいだの隙間である。「……にとって」の強調によって、その隙間が顕わになる。「チョコレート味」「甘さ」という同じ記述（概念）であったとしても、それが私にとってどう体験されるかと、彼にとってどう体験されるかとは、異なっている可能性がある。**意味の水準**では「同じ」でも、**体験の水準**では「異なる」かもしれない。その水準で異なっていないことを、どうやって知るのか？　それが問われている。「味見」という方法では、それには答えられない。味見によって確かめられるのは、私にとっての味わい$_1$と私にとっての味わい$_2$である。味わい$_1$と味わい$_2$の比較では、私の味わいと彼の味わいの比較にはならない。この「比較にはならない」は、味見に伴う必然的な「ならなさ」である。味見をして確かめることは、自分自身の味わいでないとできないのだから。

ここで、「**クオリア**（qualia）」という用語を導入しておくのがよい。[4] 先ほどの例で言えば、意味・概念の水準とは区別された、直接経験の水準での「味わい」が、味のクオリアである。「甘さ」と名指されている味が、自分にどのように直接感じられているか、その質感を「クオリア」と呼ぶ。「甘さ」のクオリア、「チョコレート味」のクオリアが問われていた。味のクオリアだけでなく、「秋空の青く清々しい感じ」のクオリアもあれば、「フルートの音色の高く澄み切った感じ」のクオリアもある。

問いの焦点は、私の甘さのクオリアと、彼の甘さのクオリアの比較である。そのクオリアどうしの「同じさ」が問われていた。しかし、味見によって「同じさ」を確かめようとしても、必然的に失敗する。味見という直接体験をする方法によっては、自分のクオリアしか体験できない。それは、クオリアの本性に属することである。「他者の心についての懐疑論」は、「他者のクオリアについての懐疑論」として問われている。

では、こう考えたらどうだろうか。厳密な「同じさ」に拘るのではなく、もっとゆるく「似ている」かどうかを考えたらどうだろう。しかも、チョコレートアイスクリーム一種類で考えるから、行き詰まるのである。別の味がするバニラアイスクリームを加えることで、その種類の違いを利用すれば、味のクオリアの類似性について、言えることがあるのではないか。この（味見に続く）第二の答えの試みは、次のように記述される。

　自分と友人は二人とも人間ですし、しかも二人とも、たとえばチョコレート味とバニラ味を区別することが、目を閉じていても【味だけで】できます。ということは、二人の味わいの経験は、【厳密に同じとは言えなくとも】類似はしているだろう、と言えるのではないでしょうか。[5]

　第二の答え方のポイントは、二人のクオリアどうしを直接比較しようとはしていない（不可能なことを行おうとしていない）点である。その代わりに、「人間であることの同一性」と「違いの認知の相同性」を利用して、二人のクオリアの「類似性」を導こうとしている。

「違いの認知の相同性」は、アイスクリームを二種類に増やすことによって、可能になっている。その点を、設定を加えながら考えておこう。私も友人も、チョコレートアイスクリームとバニラアイスクリームの両方を手にして、自分の二つのアイスを味わい比べている場面を想定する。次のような会話と行動パターンが、あったとしよう。

私　「やはり、チョコレート味とバニラ味は違うね。」
友人「たしかに、違う。チョコレートアイスクリームの甘さは少し苦みが入っているけれど、バニラアイスクリームはまろやかな甘さだ。」
私　「私は苦みのある甘さのほうが好きだな。」
友人「僕はまろやかな甘さのほうがいいかな。」

この会話とともに、私はチョコレートアイスクリームのほうを好んで選ぶ傾向があり、友人はバニラアイスクリームのほうを好んで選ぶ傾向がある。

①二人は同じ人間であり、②二種類のアイスクリームの味わい（クオリア）の違いについての認知ができていて、③それに基づいた会話や行動パターン（傾向）が二人のあいだで整合的である。このことに基づいて、二人の味の体験（クオリア）は、「似ている」とは言えるのではないか？　これが、第二の答え方である。

同一性を求めず、類似性へと基準を緩めたので、この答え方は成功すると思われるかもしれない。しかしそれでも、「どのようにして私たちは他者のクオリアを知るのか？」への答えにはならない。なぜならば、先ほどの会話や行動パターンはそのままなのに（①②

③はすべて成立しているのに)、にもかかわらず、クオリアだけがまったく似ていない可能性があるからである。

第一の答え方の「味見」は、クオリアの必然性(本性)によって失敗したが、第二の答え方の「類似性」は、クオリアの可能性によって失敗する。クオリアだけが**逆転している可能性**によって、似ているどころか真逆になっている(まったく似ていない)可能性がある。

説明のために、私がチョコレートアイスクリームをなめて「苦みのある甘さ」と言うときに味わっているクオリアを「#」で表し、私がバニラアイスクリームをなめて「まろやかな甘さ」と言うときに味わっているクオリアを「♭」で表しておこう。友人もまた、チョコレートアイスクリームをなめて「苦みのある甘さ」と言うが、そのときのクオリアは「♭」であり、バニラアイスクリームをなめて「まろやかな甘さ」と言うが、そのときのクオリアは「#」であるとしてみよう。

たとえこのようにクオリア(#と♭)が、私と友人で逆転していたとしても、先ほど設定した会話や行動パターンには、何の影響も与えない。クオリアが逆転しているからといって、それが言葉や行動の水準で齟齬として現れることはない。これが、味のクオリアだけが逆転している状況の想定(**逆転クオリアの可能性**)である。次のように整理できる。

私　：チョコアイスは苦みのある甘さ【♯】　バニラアイスはまろやかな甘さ【♭】
友人：チョコアイスは苦みのある甘さ【♭】　バニラアイスはまろやかな甘さ【♯】

【　】内がクオリアを表していて、私と友人では、そのクオリアの部分が逆になっている。

このようにクオリアが逆転してしまうと、二人の感じ方が逆なのだから、私と友人では、何を「苦みのある甘さ」と捉えて、何を「まろやかな甘さ」と捉えるかについても、逆になってしまうと思うかもしれない。しかし、それはまったくの誤解である。

そうではなくて、私にとっては、チョコアイスと「苦みのある甘さ」が結びついているし、バニラアイスと「まろやかな甘さ」が結びついている。その結びつき――どのアイスの味をどう呼び、好みの味をどう記述しどう行動するか――については、彼もまた私とまったく同じで整合的であり、言葉や行動の水準では、捉え方に違いは出ない。そのように理解できなければ、わざわざ「クオリア」という用語を導入した意味がなくなる。

「もの（アイス）――コトバ（味の表現）」の結びつきは、私と友人のあいだで違いはなく、「もの（アイス）――コトバ（味の表現）――クオリア（♯・♭）」の三項のうち、クオリアの箇所のみが、私と友人のあいだで逆になっている。

逆転クオリアの可能性は、類似性によって答えようとするやり方を、頓挫させる。たとえ、「もの――コトバ」の結びつき方からは、「似ている」と判断されるとしても、クオリアだけは似ていない(どころか真逆になっている)可能性が残るからである。

†色覚の事例

味覚の例の次は、色覚の例である。単に事例の追加ではない。「**逆転クオリアの可能性**」が、さらに過激な想定へと発展する点に注意して、次の引用文を読んでもらいたい。

(……)黄色いものが自分にとって見えるような仕方で、赤いものが友人にとっては見えているわけがないと、どうやって知るのでしょうか。もちろん、消防自動車がどのように見えるかを友人に訊ねれば、彼は血のように赤く見えると言いますし、タンポポのように黄色ではない、と言います。しかし、そうなるのは、その友人が自分と同じように「赤」ということばを使っていて、血や消防自動車が彼に対して見えている色に対して、「赤」ということばを使っているからです。しかも、その見えている色は、どんな見え方をしていてもかまわないのです。その見え方は、自分では黄色と呼んでいるかもしれないし、青色と呼んでいるかもしれない。あるいは、自分では経

験したことのない色経験であったり、想像さえできない色経験なのかもしれません。(6)

事例は味覚から色覚に変わっても、基本の枠組み（モノ――コトバ――クオリア）は引き継がれている。味覚の場合と同様に、色の名称（コトバ）に対応するクオリアの部分を、記号で表しておく。以下の説明と対応させながら、見ていただきたい。

モノ		コトバ		クオリア	
アイス	―	「甘い」	―	＃や♭	↓逆転の可能性
消防自動車	―	「赤」	―	♥	
血	―	「赤」	―	♥	↓ランダムの可能性
タンポポ	―	「黄」	―	♦	↓未経験の可能性
空	―	「青」	―	♣	↓想像できない可能性

味覚の事例では、クオリアがたとえ逆転していても、「違いの認知の相同性」はそのまま成立することによって、クオリアについては「似ている」とさえ言えないことが分かった。私と他者のそれぞれのクオリアについて、「同一性は言えない→類似性も言えない」

と進んできたわけである。

色覚の例においては、さらに先へ進む。私と他者のクオリアの「距離」が、逆転よりもさらに開いて、過激になっていく。「ランダムに違っている→経験したことがない→想像もできない」という順序は、その過激化を表している。右頁の囲みの下部参照。

先ほどの引用の「その見えている色は、どんな見え方をしていてもかまわないのです」が、クオリアのランダムネスを表している。色の名称（赤・黄・青）と見えている色（＝色のクオリア）のあいだに隙間が空くと、「逆転」の可能性では留まらずに、「何でもあり」の可能性にまで進む。赤いもの（消防自動車や血）を見て「赤い」と言っているときのクオリアは、♥でも◆でも♣でも何でもいい。どれでもいいので、友人の場合には「消防自動車と血は同じ赤だ」と言いながら、◆というクオリアが生じているとするならば、そのクオリアは、私の場合には「黄色いタンポポ」と言っているときに生じていることになる。

そのようにクオリアがランダムであり、何でもいいとしても、それは経験のレパートリーの中でのランダムネスである。すなわち、私も友人も、♥も◆も♣も（当てる色名は異なれども）どのクオリアも経験済みではある。そこで、いっそう「隙間」を拡げると、未経験のクオリア、想像不可能なクオリアへと進む。「自分では経験したことのない色経験であったり、想像さえできない色経験なのかもしれません」という段階である。この段階では、クオリアの部分を記号で代用して書くことさえ、できなくなる。

†物理的相関説による反論

逆転クオリア→ランダムなクオリア→未経験のクオリア→想像不可能なクオリアと進んできて、友人（他者）のクオリアへの疑いが深まった。

ここで視点を変えて、この疑いを晴らそうとする側に立ってみよう（あの**ジグザグ運動**である）。つまり、そこまで「過激な」「極端な」ことは起こらないという理路をたどろうとする側の視点に立ってみよう。引き続き、色覚の例で考えてみよう。

図式「モノ――コトバ――クオリア」が大ざっぱ過ぎるから、極端な想定を野放図に許してしまう。もっとミクロの科学的な物の見方を採用すれば、このような極端な疑いを晴らすことができる。そのように考える人たちが、実際にいるだろう。クオリアを脳科学的に解明するという方向性である。

この方向性では、モノが重要な役割を果たす。ただしモノといっても、「消防自動車」「タンポポ」などの日常的サイズのモノではなく、光の波長や脳の物理的状態などの、科学的探究によって明らかになるようなミクロな水準でのモノ（物理的過程）である。左頁の図式のような相関（対応）関係を考える。

私は自分のクオリア（X）を直接経験している。光の波長や脳状態（Y）については、私のYであろうと他者のYであろうと、適切な装置などを使い観察することができるし、比べて見ることもできる。私のYと他者のYに大きな違いはない。もちろん、XやYの観

私	他者
クオリアと光の波長と脳状態	**クオリアと光の波長と脳状態**
X　：　Y	X′　：　Y

察については、いっさい疑わない（ことになっている）。

ただ一箇所、他者のクオリア（X'）だけが、そもそも観察不可能である。しかし、四項（X・Y・X'・Y）のうち、三つは観察できるのだから、観察不可能なX'であっても、何でもありにはならない。四項の関係性の中にX'は位置づけられるので、探究し推測することが可能である。つまり、「X：Y」の相関関係に基づいて、「X'：Y」の相関関係を、同様のものとして探究できる。こう考えるのが、**物理的相関説**である。図式化すれば「X：Y＝X'：Y」におけるX（クオリア）とY（物理的過程）との相関関係を基礎として、X'（他者のクオリア）とY（他者の物理的過程）を考える。ネーゲルのテキストでは、次のように言われている。

（……）味わいや色経験【味や色のクオリア】は、感覚器官の何らか

の物理的刺激と一様に相関している、たとえ誰がその物理的刺激を受けるとしても。このような仮定に訴えかけなければなりません。(7)

この「一様性」「一様に相関」の中身を詳細に特定していくのが、科学的な探究の営みである。「光の波長λ＋脳状態αβγが赤さのクオリアに相関していた」等々のように。そのような探究を進めるためにも、（詳細はこれからであっても）一様性そのもの、一様に相関していること自体は公理のように認めておかないと、探究そのものが不可能になる。

この物理的相関説に基づくならば、観察不可能なポジションとしての「X'」であっても、疑いが深まるのではなく、解明が進んでいく。

さて、視点を再び問う側（疑う側）に戻そう。他者のクオリアについて疑っている側は、物理的相関説に対して何と答えるだろうか。あのジグザグ運動である。

「いま問われているのは、その一様に相関していること自体である。自分と他者のあいだで、その一様性が成り立つのかどうかを疑っているのだ」と答えるだろう。他者のクオリア（X'）について、逆転クオリア→ランダムなクオリア→未経験のクオリア→想像不可能なクオリアというように疑いが進むということは、一様性が散《ばら》けて成り立っていない可能性を呈示しているのである。そういう可能性を考えることによって、一様性という公理自体を問い直しているのに、その公理を使って応答するのでは、答えたことにならない。やはり、物理的相関説によっても埋められない「穴」として他者のクオリアは残り続ける。

†ふるまい説による反論

物理的相関説のように、物理的過程とクオリアの相関関係に一様性を仮定して、それを事実の探究によって科学的に厳密に固めていく方向は、懐疑論側を納得させることはできない。そこで、もっと緩く（事実に拘らず反実仮想も使って）、日常的な「ふるまい」に即した方向性を選んでみよう。ここでもう一回、**ジグザグ運動**を行うことになる。

（懐疑論のように）逆転クオリア→ランダムなクオリア→未経験のクオリア→想像不可能なクオリア……と疑いを先へ先へと進めるのではなく、しかし（物理的相関説のように）疑いをぜんぶ潰そうとするのでもなく、弱い穏当な疑いを許容したうえで、懐疑論の極端な疑いだけを排除しようとする。そういう穏当な方向へと、進んでみることにしよう。その考え方は、（物理的な相関ではなく）ふるまいの違いに注目するので、「**ふるまい説**」と呼ぼう。いわば「ふつうの疑い←逆転クオリア」のように、逆方向（穏当化）を目指し、マイルドな疑いへと戻ろうとする。これは、健全な疑いの方へと引き戻そうとする考え方である。

（……）物理的刺激と経験【クオリア】のあいだの相関は、人それぞれで厳密に同じではない可能性がある。二人の色の経験や、同じ種類のアイスクリームの味わいの経験には、微妙な違いがあるかもしれない。実際、人々は互いに身体的に（物理的に）異なっているのですから、違いがあることは驚くべきことではありません。（……）しかし、経験【クオリア】における差異は過激すぎるということはありえない。さもなければ【つまり違いが過激すぎると】、分かってしまうだろう。たとえば、友人にとってはチョコレートアイスクリームが、自分にとってのレモンの味わいのようであることはありえない。そういう味わいを経験しているならば、彼はチョコレートアイスを食べたときに、口をすぼめるはずである。(8)

引用の前半部では、物理的相関説を退け、他者のクオリアについての懐疑論に譲歩して、二人のクオリアのあいだに「違い」があることは認める。適度な「違い」に関して疑うことは、ふつうの健全な疑いであり、実際なされている（体質や食歴等による味覚の違い）。しかし後半部では、その「違い」が（逆転クオリアのように）あまりにも大きくなりすぎると、ふるまいの差として現れてしまうから、懐疑論のような過激な疑いは成立し得ないと主張している。

さて、視点を再び問う側（疑う側）に戻そう。他者のクオリアについて疑っている側は、**ふるまい説**に対してどう応答するだろうか。あの**ジグザグ運動**をもう一度行う。「逆転クオリアのように違いが大きくなりすぎると、ふるまいの差として現れてしまう」と言える根拠は何だろうか？　と問い返すだろう。その根拠こそが、問われている当のものなのだから。

ふるまい説では、ふるまいの大きな違い（口をすぼめる／すぼめない）が、クオリアの大きな違い（レモン味のクオリア／チョコアイスのクオリア）と相関していることが、公理のように使われている。しかし、逆転クオリアの想定は、その相関自体を疑う可能性を開いている。クオリアの大きな違いはふるまいの違いに相関するという、その公理自体を問い直しているのに、その公理を使って応答するのでは、答えたことにならない。

クオリアに大きな差（逆転）があれば、ふるまいの大きな差（口をすぼめる）として現れるはずだから、もし友人がチョコレートアイスクリームを食べて、口をすぼめるならば、そのときには酸っぱさのクオリア「★」が生じていることが分かるはずだと、ふるまい説は考える。しかし、クオリアとの対応関係が次のようになっていると、そうは言えない。こんどの図式化は、「モノ――ふるまい――コトバ――クオリア」の四項によって成されている点に注意しよう。

	モノ	ふるまい	コトバ	クオリア
私：	チョコアイス	口をすぼめない	「甘い」	＃
	レモン	口をすぼめる	「酸っぱい」	★
友人：	チョコアイス	口をすぼめる	「酸っぱい」	＃
	レモン	口をすぼめない	「甘い」	★

「酸っぱい」と言って、口をすぼめるというふるまいが現れていても、クオリアは（私のように）「★」ではなく「＃」を体験しているかもしれない。クオリアだけが、「モノ——ふるまい——コトバ」の相関から「浮いている」。この逸脱こそがクオリアの本性である。この例では、友人の場合には、「＃」というクオリアこそが、「酸っぱい」と呼ばれているのであり、しかも「酸っぱさ」のふるまい（とされているもの）と結びついている。クオリアが、どのようなふるまいやコトバと繋がっているのかが直接分かるのは、自分の場合だけである。ゆえに、他者のクオリアは、ふるまい説によっても埋められない「穴」として残り続ける。

†懐疑論の過激化

ここまでの考察を振り返ると同時に、さらに過激な可能性へと進むことにしよう。まず、次のように振り返っておこう。ⅠとⅡに大別し、Ⅱを1～4に細分化する。

Ⅰ　**ふつうの穏当な懐疑**：自分と他者のクオリアは、厳密に同じかどうか分からず、自分と他者のクオリアは、微妙に違うかもしれないと疑う段階。

Ⅱ　**ラディカルな懐疑**：自分と他者のクオリアは、類似しているかどうかさえ分からず、自分と他者のクオリアは、似てさえいないかもしれないと疑う段階。

Ⅱ-1　**逆転クオリアの懐疑**：自分と他者のクオリアは、物理的過程にもふるまいにもいっさい現れ出ることなく、逆転しているかもしれないと疑う段階。

Ⅱ-2　**ランダムなクオリアの懐疑**：逆転とは相互関係であるが、その特定の関係性からもさらに逸脱して、他者のクオリアは何でもありかもしれないと疑う段階。

Ⅱ-3　**未経験のクオリアの懐疑**：「何でもあり」の可能性といえども、まだ自分の経験の範囲内での任意性である。その範囲内からもさらに逸脱して、他者のクオリアは、自分の経験の範囲内を超えているかもしれないと疑う段階。

Ⅱ-4 想像不可能なクオリアの懐疑：自分の経験の範囲内にはなくとも、想像で補える範囲内からもさらに逸脱して、他者のクオリアは、想像さえ及ばないかもしれないと疑う段階。この段階では、クオリアどうしは比較不可能である。

しかし、疑いがここまで極端（過激）になったとしても、まだその先があることに、お気づきだろうか。その先を、次の二つに分けておくことができる。

Ⅲ もっとラディカルな懐疑

Ⅳ もっともラディカルな懐疑

Ⅱの1〜4はどれも、一つの感覚領域の内部での懐疑になっている。すなわち、味覚という一つの感覚領域における「逆転」であり「ランダム」であり「未経験」であり「想像不可能」である。あるいは、色覚という一つの感覚領域における「逆転」であり「ランダム」であり「未経験」であり「想像不可能」である。言い換えれば、クオリアがどんなに逸脱的になったとしても、その逸脱は一つの感覚領域の内部で収まるものになっている。味覚のクオリアであることや、色覚のクオリアであることからは、逸脱していない。

裏を返せば、その固定されていた一つの感覚領域さえも〈跨《また》いだり〉〈逸脱する〉仕方で、クオリアについての懐疑は、より過激になることができる。たとえば、私が「電車が通り過ぎるときの騒音」と記述するときに感じているクオリアと、友人が「バニラアイスクリームのまろやかな甘さ」と記述するときに感じているクオリアが、同じクオリアであると想定することができる。前者は聴覚領域でのクオリアであり、後者は味覚領域でのクオリアであるが、その感覚領域を跨ぐ仕方で、「逆転」が起こっていることになる。

この例は、二つの感覚領域間を跨ぐ「逆転クオリア」の可能性である。さらに、感覚領域自体がランダムであったり、感覚領域自体が未経験のものであったり（第六感？）、想像もできない感覚領域があったり（宇宙人の感覚器官？）、それらの可能性はⅡの1〜4と同様に、過激になっていく。これらを「**Ⅲ　もっとラディカルな懐疑**」としてまとめておこう。

では、「**Ⅳ　もっともラディカルな懐疑**」とは、どのようなものになるのか？

ⅠからⅢまでのすべての想定において、共通している一点がある。それは、どんなに逸脱的なクオリアであるとしても、とにかく他者にもクオリアが存在する、という一点である。他者のクオリアについても、それがどのようなものかは分からない（無限に可能性がある）にしても、とにかく存在はしている（他者にもクオリアがある）。この点だけは、不動である。

裏を返せば、懐疑をもっともラディカルな段階にまで進めれば、その一点さえ疑うことができる。他者の場合には、クオリアが異なっているのではなく、そもそもクオリアが不在なのかもしれない。すなわち、「**クオリアの不在**」の可能性がある。

クオリアの不在は、「**哲学的ゾンビ**」とも呼ばれる。[9] ホラー映画に登場するゾンビは、生命が欠けている（死んでいる）にもかかわらず、動き回ることができる。それに対して、哲学的ゾンビは、生命も身体も言葉も表情も動きも……むしろ、すべてを備えている（ふつうに生きている）。それにもかかわらず、クオリア・現象的意識[10]のみが欠けていると想定されるのが、哲学的ゾンビである。

新たに加わったⅣの段階と、ⅠからⅢまでの段階との関係は、すでに述べた「**存在自体と在り方の区別**」とパラレルである。そもそも在るか無いかを問う水準が「存在自体」を疑うことであり、（在ることは前提として認めたうえで）それがどのように在るかを問う水準が「在り方」を問うことであった。「クオリアの不在」「哲学的ゾンビ」の想定は、クオリア・現象的意識がそもそも在るか無いかを問題にしているのに対して、「逆転クオリア」の想定は、クオリア・現象的意識は在ったうえで、その在り方がどれほど異なりうるかを問題にしている。在り方の問題（どのようであるか）よりも、存在自体の問題（そもそもあるかないか）のほうが、存在論的にいっそう深い問題である。

†ロボットの懐疑

前章（第2章）の外的世界についての懐疑論では、拡大X（私の心）とその外Yとのあいだの埋められない「隙間（亀裂）」が開き続けた。一方、本章（第3章）の他者のクオリアについての懐疑論では、拡大X（私の心）とその外Yの両方を合わせて隙間（亀裂）を塞いでも、それでも埋めようのない「穴」が残り続ける。隙間（亀裂）を無視しても、「穴」のほうは残り続けるのが第3章である。逆に「穴」を無いものとして見ないとしても、「隙間（亀裂）」は開き続けるのが第2章であった。「穴」が、ぽっかりと空いたままになっているのが、**クオリアの不在**や**哲学的ゾンビ**であった。

前章（第2章）の外的世界についての懐疑論では、懐疑がもっともラディカルになる段階を表象する思考実験が、**巨大な夢**と**五分前世界創造説**であった。同様に、本章の他者のクオリアについての懐疑論においても、懐疑がもっともラディカルになる段階（クオリアの不在）を表象する思考実験がある。それが、**ロボットの懐疑**である。

自分の周りの人たち（親・兄弟姉妹・友だち・知人・同僚……）、飼っている犬や猫、テレビ報道をしているニュースキャスター、遠い国の大統領、動物園の動物たち、空を飛び回る鳥たち……、それらはすべて、よくできたロボットなのかもしれない。ロボットといっても、金属製のギクシャクした動きをする旧式のロボットではなく、高度に発達したＡＩを搭載していて、タンパク質から合成された皮膚を持ち、内臓等も本物そっくりに作られて稼働している。鳴き声やことばを含めたふるまいも、搭載されたＡＩが完璧に作り出している。あまりにも精巧なロボットなので、本物の生物とは見分けはつかない。にもかかわらず、通常の生物には在るとされているクオリアだけが、そのロボットには無い。私の持つこの感じは、他者や他の生物には、存在しないのかもしれない。

　この想定は、単なる思考実験に留まらず、工学的・倫理的な課題にもなりうる。たとえば、人間型のロボット（アンドロイド）が、人間レベルの対話もできるようになり、一緒に生活するようになったあかつきには、ロボットを人間として遇するべきだろうか。それともロボットには「心」が無いと見なして、道具として遇するべきだろうか。あるいは、この疑いは、実存的な問いや不安を反映しているのかもしれない。「人間であるとは、いかなることか？」「なぜ私だけは、かくも特別なのか？」「なぜ他者たちはこんなにも疎遠な存在なのか？」……[11]。クオリアの問題は、こういう問いへも繋がっている。

†心の表層・中層・深層

「どのようにして私たちは他者の心を知るのか？」という当初の問いは、「どのようにして私たちは他者のクオリアを知るのか？」という問いとして、ここまで問われ続けてきた。なぜ「心」の問題が、「クオリア」の問題へと集約されるのだろうか。その「集約」には、どのような意味があるのだろうか。その点を明確にしておこう。

クオリアへと話が集約されることは、「心」が多層であり、深さを伴うことと関係がある。「心」といっても、その表層は「ふるまい」と一体化して成立している（せざるを得ない）。ふるまいと心が別ものではない水準があって、表層においては「**ふるまい即《すなわち》心**」である。小躍りすることが喜びであり、声を荒げることが怒りであり、涙を流すことが悲しみであり、笑うことが楽しみである。そういう水準がたしかにあるし、あるのでなければならない。さもないと、「喜怒哀楽」のような基本的な心の状態（感情）の区別を、私たちは（幼児の頃に）身につけることさえできないだろう。

ふるまいに即して**心の表層**が分節化されて初めて、私たちは基本的な心の状態を習得する。その後でようやく、もっと微妙で応用的な、たとえば「憂い」や「不安」や「哀しみ」のような心の状態も獲得していく。心の状態の複雑化は、複数の意味（概念）の関係性の習得と一体化して進行する。意味（概念）のネットワークが成長していくことと、心の在り方が細やかになっていくことは、別のことではない。意味（概念）のネットワークが、**心の中層**（深まり）を形成する。

このように、**心の表層や中層**は、意味（概念）によって作られている。「ふるまい」は基本感情の意味と一体であり、心の深まりは意味（概念）の複雑化や深まりと一体である。「喜怒哀楽」も「憂い」も「不安」も「哀しみ」や「恐れ」も……すべての心の状態（の表層や中層）は、意味（概念）と切り離せない関係を取り結んでいる。

クオリアもまた、その意味（概念）のネットワークと無縁ではない。不安のクオリアも恐れのクオリアも、意味（概念）のネットワーク内に位置を占めることで成立する。そのように無縁ではないけれども、しかし表層・中層の心の状態とは違って、クオリアは、その「縁」から逸脱する傾向性を持つ。つまり、**クオリアは、表層・中層と取り結んでいた「縁」を切って、深層へと降《くだ》っていく運動性を有している**。[12]

その中層からの逸脱は、すでにクオリアの最初の段階（感覚のクオリア）から始まっている。「痛み」と「痛みのクオリア」のあいだには、すでに微妙に隙間が開けている。「痛み」によって、痛みという概念ではなく、その概念の下で感じられている当の感じを表すとしよう。それでも、痛みの感じが痛みの感じであるということは、「痛み」という一般的な概念が刻印された感じられ方をしていることを表している。つまり、「痛み」は、「痛み」でないもの（痒《かゆ》みや擽《くすぐ》ったさ等々）でなければ、それでよい。その区別だけで痛みの感じになることができる。痛みの感じの成立には、その感じの細部（鈍痛と疼痛《とうつう》の区別など）までは、必要がない。細部や特殊性や個別性は棚上げにされて無視されることによって、一般的な「痛み」として感じられることは成立する。

　しかしながら、「痛み」ではなく「痛みのクオリア（質感）」の場合には、事情が異なってくる。クオリアの場合には一般的で大ざっぱな「痛み」という括りには収まらない質感、すなわち「痛み」ではあっても、その一般性からはみ出す独特な感じ（刺すような質感や重く鈍い感じ等々）へと焦点が合わせられる。その一般性から逸脱する質感へと焦点を合わせたことを、「痛みのクオリア」が表している。「痛み」と「痛みのクオリア（質感）」のあいだには、そのような隙間が空いている。一般性からのはみ出しが、**深層への降《くだ》り**を駆動する。

　しかし、これは逸脱の最初の一歩にすぎない。意味（概念）からのクオリアの逸脱はまだ先へ進む。この点は、懐疑論の過激化をたどっている私たちには、明らかであろう。懐疑論が、Ⅰ→Ⅱ→Ⅲ→Ⅳと疑いを深める進行は、そのままクオリアの本性——意味（概念）からの逸脱性——の展開だったのである。懐疑論の過激化は、クオリアの本性の実質的な展開なのであって、単なる想定（思考実験）ではなかったことになる。

　心のかなりの部分（表層と中層）には、意味（概念）のネットワークが張り巡らされていて、心は意味（概念）に浸されている。しかし、それが全てではない。心の状態を、どんなに詳しく細密に記述しようとしても、その記述された意味（概念）をさらに逸脱する運動を、心の深層はつねに内包し続ける。**心は、更新される意味（概念）も突破し続ける。**

心についての問いが、表層や中層に向かう問いである場合には、ことさらクオリアを話題にする必要はない。ふるまいや意味（概念）のネットワークをつぶさに探究することが、そのまま心の探究になる。しかし、心についての問いが、深層へと向かう問いである場合には、クオリアの問題がクローズアップされる。クオリアについての懐疑論を探究することは、そのまま**心の深層へと降りていくこと**でもある。逆転クオリアやクオリアの不在は、深海探査機のように、心の深層の真相を伝えてくれる。

一〇四頁で、以下のまとめを掲載した。第2章と第3章の問いの違いを、明示するためであった。このまとめを再掲するのは、「**内奥**」の部分に注目してもらうためである。「**内の内**」と「**外の内**」が「**内奥**」であり、「内奥」は**心の深層**に相当する。クオリアがその内奥へと向かう逸脱運動であることを、「X↓X」「X'↑X'」の矢印が表している。

私の心【Y↑X】		外的世界Y↑【私の心】
内の外（認識内存在）	と	外の外（認識外存在）

私の心【X↓X】　他者の心【X'↑X'】↑Y↑【私の心】
内の内（認識内の内奥）　と　外の内（認識外の他の内奥）

懐疑論の深まりにおいて、「Ⅰ↓Ⅱ↓Ⅲ」までが、クオリアの在り方（どのようであるか）を問い、最後の「↓Ⅳ」がクオリアの存在自体（あるかないか）を問うていた。「在り方（どのようであるか）」を問うことは、その「どのように」の認識内容に深く関わっている。それに対して、「存在自体（あるかないか）」を問うことは、「どのように」という認識内容からは離れて（どのようであれ）、そもそも、あるかないかに深く関わっている。

ということは、クオリア問題の深まり（Ⅰ↓Ⅱ↓Ⅲ↓Ⅳ）は、心の表層から深層へと降りていくことであると同時に、認識論的な水準から存在論的な水準へと降りていくことでもあったことが分かる。しかも、そのどちらの下降も、（認識論的な水準を裏打ちする）意味論的な水準を突破して、認識も意味（概念）も届くことのない**深部の存在領域へと降りていくこと**である[13]。この章の問い「どのようにして私たちは他者の心を知るのか？」を構成する図式は、「私の心／他者の心」のコントラストだけでなく、**意味の内で構成される心（表層・中層）／意味を逸脱する心（深層）**のコントラストでもあった。

†運動としてのクオリア

クオリアという主題は、その特殊性・独自性を主張する側（クオリア擁護）と、それを否定する側（クオリア批判）に議論が分かれやすい問題である。

クオリア擁護の側は、クオリアが本人にのみ直接観察可能な質である点を強調して、その主観性や私秘性を、クオリアの特殊性・独自性として擁護しようとする。一方、クオリア批判の側は、その特殊性・独自性を崩そうとして、クオリアの記述や説明の可能性を追求する。クオリア擁護の側は、クオリアの在り方（どのようであるか）を体験的な**直接性**に求めるが、クオリア批判の側は、クオリアの在り方（どのようであるか）を、文脈や状況の**関係性**の内に位置づけて解明しようとする。

ところで、本書のこれまでのクオリアの扱い方は、このどちらでもないことにお気づきであろうか。どちらでもないと同時に、どちらでもある、と言うこともできる。その非-排中律的な在り方を、本書はクオリアの逸脱性に見ようとしている。

クオリア擁護の側とクオリア批判の側の両方で、一致している点がある。それは、クオリアの在り方（どのようであるか）を確定的な何かと考えている点である。クオリア擁護側にとっては、クオリアは直接的に確定されている何かであり、クオリア批判側にとっては、クオリアは関係の中で（関数的に）確定されている何かである。いずれにしても、クオリアは「確定されている何か」である。

しかし、私はそう考えていない。クオリアは、心の表層から中層を突破して、深層にまで潜っていく、**質的な経験の逸脱運動**であると考えた。どこかの深度で、とりあえず確定（固定）されることはあるとしても、その確定（固定）からもさらに**逸脱する力が潜在しているから**こそ、クオリアはクオリアであり続ける。**潜在的なクオリア**も、クオリアである。

もちろん、**運動としてのクオリア**には、潜っていく逸脱運動だけではなく、深部から浮かび上がって確定（固定）されようとする方向性の運動も含まれている。いわば、**心の表層⇅中層⇅深層の往復運動**こそが、クオリアという現象に他ならない。直接性と関係性はともに、そのクオリアの運動を構成するエレメントである。直接性は関係性の内に巻き込まれつつ、関係性の外により強い直接性となって弾き出される。私は、そのような運動の全体を、クオリア現象であると捉えようとしている。

クオリアの運動性を強調する本章の観点から言えば、これまでの問い方そのものが、逆立ちしていることになる。これまで、次のように問うてきた。「私と他者のクオリアは、同じか違うか、似ているか似ていないか、逆転しているのではないか、比較不可能なのではないか、そもそも無いのではないか」。

この問い方は、逆立ちしている。問いのどの局面でも、クオリアを「確定されている何か（無という確定も含む）」として考えている。その「確定されている何か」というポジションを、同一性や類似性や逆転や比較や不在の問いが進んで行く。しかし、話は逆であって、そのような「問い（疑い）」が、同一性→類似性→逆転→……→不在と進んで行くこと、問い（疑い）の反復が終わらないこと自体が、その全体が、クオリア現象なのである。

クオリアは、「確定されている何か」ではなく、むしろ「確定が終わらない動き」それ自体である。クオリアは、「何か」として確定するのではなく、問い（疑い）の遂行を終わらせない力の局面局面として在る。たしかに、ある局面では関係性に回収され、また別の局面では直接性が関係性をはみ出す。しかし、直接性の局面だけでも関係性の局面だけでも完結せずに、両者の包摂－逸脱関係は繰り返される。その反復運動が終わらないということが、その終わりの〈不在〉が、クオリアという仕方で現象する。

†コギトと他性

そのように逆立ちを正立へと転倒し直す観点（逆立ちの逆立ちとしての正立）から、次のような「コギトと他性」に関する考察を加えておきたい。

「他者の心は在るのか無いのか、在るとしても、その在り方は大きく異なるのではないか」という問い方が、逆立ちしている。**話は逆であって、そのように疑いが生じること（疑いが深まること）自体が、他者の心の他性——埋め終わらない穴性——を生み出す。**他者の心についての懐疑論（疑い）によってこそ、他者の心の他性が、まさにその疑いの遂行において構成される。他者の心について疑う（問う）のではなく、疑う（問う）こと自体が、他者の心の「他性＝穴性」を生み出す。

疑いの遂行において、「このようではないかもしれない」と〈不在〉が反復することが、他者の心の他性＝穴性を遂行的に構成している。ということは、疑いの遂行を媒介にして、他性は、疑う私としてのコギトと繋がっている。他性は、疑いの生起であるコギトと、表裏一体の関係にある。コギトと他性は、疑いの遂行において出会っている。

コギトは、疑いの遂行・生起それ自体であり、特異な出発点である。他性＝穴性は、その疑いの遂行が終わらないことである。コギトと他性は、あたかも一つの楕円（疑い）を構成する二つの焦点のようであり、コギトは今のこの疑いの**一回性**に対応し、他性は終わらない疑いの**反復可能性**に対応する。さらに、楕円の極限形態としての円を表象するならば、コギトと他性、あるいは疑いの**一回性と反復可能性**は、一つの点（中心）へと潰れる。コギトは疑い（思い）の遂行・生起それ自体であり、その中身・内容とは無関係にそれ自体として働く。中身・内容との無関係性ゆえに、コギトは「空っぽ」である。他性＝穴性は〈不在〉の反復であり、埋め終わることがない。ゆえに、他性＝穴性もまた「空っぽ」である。潰れた一点としての中心は、その「**空っぽさ**」を共有する。

一回性と反復可能性もまた、一つに潰れやすい。というのも、一回性の一回は反復可能な任意の一回へと転落するし、反復可能性は反復できない「一回」を繰り返すので、互いに重なり合うからである。「一回性」には、反復可能な「一回」と反復不可能な「一回」が重なり合っている、と言ってもよい。

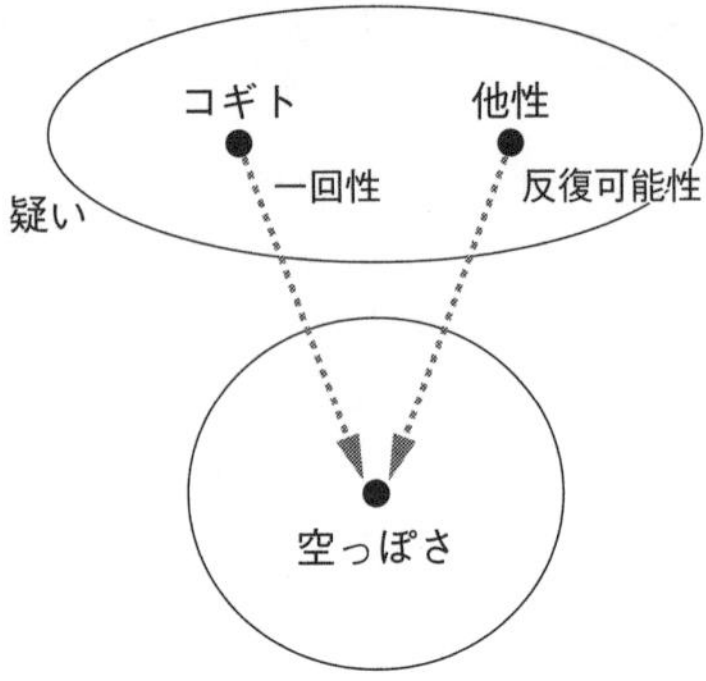

コギトは、疑い（思い）の遂行・生起それ自体なので、その自己産出によって疑い得ない存在である。その特異な存在の仕方は、心の表層・中層的な「意味（概念）」をすべて削ぎ落としていて、意味（概念）が役割を持ちえない。いわば、コギトは、心の内容・中身が関与してこない空っぽの「**点**」として働いている。
他方、他者の心の他性は、心の表層・中層的な「意味（概念）」から逸脱し、深層へと突破していく運動である。その反復運動は、クオリアの不在にまで達する。他者の心は、表層・中層・深層の全体であるが、特にその他性＝穴性は、〈不在〉にまで至る深層にお

いて働く。コギトの**「点」性と最深の深層における他性＝穴性**は、一方はもっとも手前で働き、他方はもっとも奥に潜って働く。その点で正反対でありながら、同じような**「空っぽさ」**を共有している。その「空っぽさ」を介して、〈手前〉と〈奥〉は通底する。

†知と信

前章（第2章）では、懐疑論vs反懐疑論の議論が頂点に達したあと、「信」（無根拠に外的世界の存在を信じること）が登場した。それは「自然的態度」とも呼ばれた。

本章（第3章）では、懐疑論が、「もっともラディカルな懐疑」（ロボットの懐疑）に達したあと、「信」（本能的に他者の心の存在を信じること）が登場する。ネーゲルのテキストでは、次のように記述されている。

周りの人たちの誰も意識【クオリア】を持っていないかもしれないという可能性を考慮することは、不気味な感じを生み出します。一方では、それは想定可能なことに思えますし、手にしうるどんな証拠も、その可能性を決定的には排除できません。しかし他方では、それは、可能であると実際には信じることができないことなのです。あれらの身体の内には心が存在し、目の背後では見えが生じていて、耳では聞こえが

生じていること等々の確信は、本能的なものです。（……）[14]

前章（第2章）でもそうだったが、「信」の水準を「知」の水準と区別して強調することは、本能・実践・行為・実際の生活といった次元を重視する「自然的態度」である。その非哲学的な水準・次元に訴えかけることによって、懐疑が断ち切られて終わることに、「ああ、よかった」と安堵感を覚える人もいるだろう。哲学者の中にも、この水準・次元をデッドエンドにすることによって、懐疑論への応答は終わると考える人々もいる。

しかし、私はそう考えない。ネーゲルもまた、私とは方向性は異なるが、そう考えない点で同じである。[15] ここでは、ネーゲルの考え方ではなく、私自身の考えのほうを展開しよう。前章（第2章）で、自然的態度をデッドエンドにせずに、私自身の考察をさらに続けたのと同様に、本章（第3章）でも、「信」で終わらせずに、もう一歩先へ考察を進めたい。

すでに述べた「**心の表層・中層・深層**」と「**逆立ちの逆立ちとしての正立**」の観点から、「知と信」の問題を見直そう。そうすることによって、「知と信」という紋切り型の二元性から逃れたい。

自然的態度派によれば、他者に心があること、その心がどのようなものであるかは、根拠を必要とする「知」の対象ではなくて、本能的な「信」の対象である。しかし、「知」であれ、「信」であれ、その対象となる「心」という言い方で、何が（どんな心が）考えられているのか。そもそも、それが問題である。というのも、「心」は、異なる三層（表層・中層・深層）を含むからである。どの層を考えるかによって、事情は違ってくる。

まず、「**心の表層**」は、ふるまいと心が一体化している水準（**ふるまい即心**）であった。そういう表層があるからこそ、私たちは、基本的な心の状態（喜怒哀楽など）の区別を、主に幼児の頃に身につけることができる。この水準の心についてならば、自然的態度派が強調する点は、基本的にすべて正しい。ふるまい即心は、「本能的に」「実践的に」「実際の生活における行為で」成立しているのだから。自然的態度派が強調する「信」とは、命題的な信念（「……」という命題内容を信じること）ではなくて、幼児のふるまいに対する親の自然な反応に典型的に見られるような「信頼」「信憑」「情」とでも言うべき次元での「信」である。

しかし、深さを伴う「**心の中層**」になると、事情が変わってくる。心の中層では、意味（概念）のネットワークの成長とともに、心の状態が複雑・精妙になっていく。意味（概念）のネットワークの内で分節化されていく心の諸状態どうしには、あるいは表層のふるまいとのあいだにも、因果や理由などの諸関係が複雑・精妙に張り巡らされる。ということは、心の中層は、理由や根拠を問う「知」の働きと結びつく。他者の心の中層が「どのようであるか」は、すでに「知」の圏域の内にある。より正確に言えば、心の表層での自然的態度（信）とも連携しつつ心の中層が深まり、その複雑化の度合いに応じて、「知」の関わりも大きくなっていく。表層と中層、信と知はグラデーションを描く。**心の表層と中層に関しては、「知と信」は二項対立的な背反関係にはない。**むしろ、「信」を通じて「知」へと開けていくことが、「心」の深まりになっている。「知」の頓挫の果てで「信」が働くのではなく、「知」を開くために「信」が礎《いしずえ》となって働く。この点で、「知と信」を対立的・背反的に捉える見方は、むしろ実情からはほど遠い（引用箇所の「実際には really」の強調に反している）。**「知であるか信であるか」**ではなくて、**「知でもあり信でもある」**ことが、他者の心の表層・中層に向けての適切な態度である。

では、「心の深層」については、どうなるのか？　他者の心についての懐疑論が問うていたのは、まさにその「深層」であったのだから、自然的態度による懐疑論への応答もまた、その水準（深層）で行うべきであろう。

しかしながら、自然的態度の「信」によっては、深層の水準に触れることはできない。とはいえ、理由や根拠を求める「知」によっても、深層の水準には太刀打ちできなかった。だからこそ、自然的態度の「信」の水準が登場してくるのであった。しかし、その「信」

が届きうるのは、心の表層と中層までである。要するに、懐疑論が問うている心の深層（逆転クオリアやクオリアの不在が問題化する水準）に対しては、知も信も歯が立たない。むしろ、**「知でもなく信でもない」**アプローチが、他者の心の深層へ向けた態度の肝である。それは、どういうアプローチか？　なぜ、そうなるのか？

　そうなるのは、「知」も「信」もともに意味（概念）に依拠して成立する態度だからである。この場合の「意味（概念）」には、心の中層における複雑化・精密化した意味（概念）のネットワークだけではなく、心の表層における素朴な「ふるまい」に宿る意味――原初的な意味（概念）――も含まれる。命題的な信念（「……」ということを信じる）が意味（概念）に支えられていることは分かりやすいが、信頼や情レベルでの「信じる」もまた、意味（概念）に支えられている。そもそも意味（概念）が無いものを、「信」の対象にすることはできない。「知」だけでなく「信」もまた、意味あるものに向けられた態度なのである。あるいは、意味を見出そうとする態度の内に「信」が育つ、と言ってもいい。

　この「意味（概念）」への依存という観点で比べると、深層は表層・中層とはまったく異なる在り方をしている。私は一三五頁で、次のように述べた。

> 心のかなりの部分（表層と中層）には、意味（概念）のネットワークが張り巡らさ

れていて、心は意味（概念）に浸されている。しかし、それが全てではない。心の状態を、どんなに詳しく細密に記述しようとしても、その記述された意味（概念）をさらに逸脱する運動を、心の深層はつねに内包し続ける。**心は、更新される意味（概念）も突破し続ける。**

心についての問いが、表層や中層に向かう問いである場合には、ことさらクオリアを話題にする必要はない。ふるまいや意味（概念）のネットワークをつぶさに探究することが、そのまま心の探究になる。しかし、心についての問いが、深層へと向かう問いである場合には、クオリアの問題がクローズアップされる。クオリアについての懐疑論を探究することは、そのまま**心の深層へと降りていくこと**でもある。逆転クオリアやクオリアの不在は、深海探査機のように、心の深層の真相を伝えてくれる。

懐疑論が問う心の深層とは、意味（概念）の成立が崩れて頓挫する領域である。どこまでも意味（概念）から逸脱していく運動**（運動としてのクオリア）**が、深層を反映する。意味（概念）からの逸脱の運動自体は、「知」の対象にも「信」の対象にもなり得ない。たしかに、ある局面でとりあえず意味（概念）をいったん固定させて、「信」や「知」の対象であるかのように扱うことはあるだろう。しかし、その固定はあくまで仮のものであって、そこから逸脱する力を潜在させていること（**逸脱の傾向性**）が、クオリアのクオリアたる所以《ゆえん》である。「ＸＹＺ」という記述を与えられるクオリアが、その「ＸＹＺ」という意味（概念）を溢れ出す質感を含むことは、その本性からの必然である。

この逸脱の傾向性（運動としてのクオリア）は、認識（知と信）の対象として固定され得ない。認識（知と信）の対象であることを可能にしている意味（概念）からすり抜けるからである。むしろ、対象化されないまま、意味（概念）を逸脱し続けることこそが、他者の心の深層を遂行的に構成する。

ここでも、「**逆立ちの逆立ちとしての正立**」という観点が有効である。「他者の心の深層」を、知る・信じるの対象として考えることは、「逆立ち」している。そもそも、対象として知る・信じることが成立している時点で、それは意味（概念）の内に組み込まれている。それゆえ、知られている・信じられている対象は、「他者の心の深層」ではなくて、「他者の心の表層と中層」に変質せざるを得ない。

もう一度逆立ちさせて正立させよう。そのように知る・信じるための土台である意味（概念）が頓挫することによって、どこまでも「知」や「信」が届かず、その不達が繰り返される運動自体が、他者の心の深層を遂行的に構成する。他者の心だから、そのクオリアが逸脱的なのではない。クオリアが逸脱を反復するから、そこに他者の心が生い立つのである。この事態（他者の心の創発）は、知・信の対象ではなくて、むしろその反復運動に巻き込まれるか否か、という出来事の水準の問題である。ということは、存在論的な水準の問題である。認識論的な水準と存在論的な水準の関係性の場面で、「**逆立ちの逆立ちとしての正立**」を適用したことになる。[16]

†懐疑論の方向転換

「逆立ちの逆立ちとしての正立」という観点も、懐疑論に関わるある種の「方向転換」であるが、それとは別種の大きな方向転換を、ネーゲルのテキストは呈示している。

この問い【懐疑論】には、もう一つ別の側面があります。それはこれまでとはまったく正反対の方向に進みます。[17]

「まったく正反対の方向」が、方向転換を表している。これまでの方向がどういう方向で、それとは「正反対」とは、どのような方向なのだろうか。懐疑論がまったく逆の方向に向かうとは、どのようなことなのか？　その点から、考えておこう。ここでの「正反対の方向」への転換は、第2章の「外的世界についての懐疑論」では見られなかった、本章の

「他者の心についての懐疑論」に特有のものであることに注意しよう。

これまでの懐疑論の疑いの方向性と「方向転換」後の懐疑論の疑いの方向性を、次のように対照しておこう。「ある」と「ない」が入れ替わる点に注目してほしい。

> ふつうは心が「ある」と思っている友人（他人）や猫（他の生き物）には、心が「ある」ことは証明できないので、実は心が「ない」のかもしれない。
>
> ふつうは心が「ない」と思っている蝶（他の生き物）や岩石（モノ）には、心が「ない」ことは証明できないので、実は心が「ある」のかもしれない。

「ある→ない」の方向が、「ない→ある」の逆方向へ転換していることが分かる。その転換とともに、友人（他人）や猫（他の生き物）という他者は、蝶（他の生き物）や岩石（モノ）という他者へと置き換わっている。両方向を合わせるならば、「他者」とは、（自分自身ではない）ヒト・他の生物・モノのすべてを含む。問われている「他者の心」の「他者」には、自分以外のすべてが含まれる。また、「ある→ない」の方向であれ、「ない→ある」の逆方向であれ、その矢印部分にあたるのが「証明できないので」であるが、その点は両方向に共有されている。この「証明できない」は、「クオリアが逆転していたり、クオリアが不在である可能性を否定できない」に相当する。それに対して、「方向転換」後の「証明できない」は、「クオリアが似ていたり、クオリアが在る可能性を否定できない」へと変わることになる。ここにも、「まったく正反対の方向」が表れる。

†ヒエラルキーとアニミズム

これまで「他者」の例として登場したのは、友人という「他人」と猫という「他の生物」だけであった。しかし、他人といっても、友人は親密な他人であるが、街ですれ違うだけの人は見知らぬ他人であり、他人として一括りにされていても、自ずと距離感に違いがある。また、他の生物といっても、猫は家族の一員にもなりうるが、ゾウリムシのような単細胞生物の場合はどうだろうか。さらに、「他者」の範囲は、動物だけでなく植物へも拡がるし、さらに無生物・モノもまた、「他者」の例として加えることができる。「他者」とは自分以外のすべてである。

しかも、これらの他者たちは、雑多にたくさんあるだけではない。「他者の心」というテーマの下で、これらの他者たちを眺めるならば、先ほどは「距離感の違い」と述べたが、「心に対する態度の違い」によって、すなわち「心があるとみなすか、ないとみなすか」

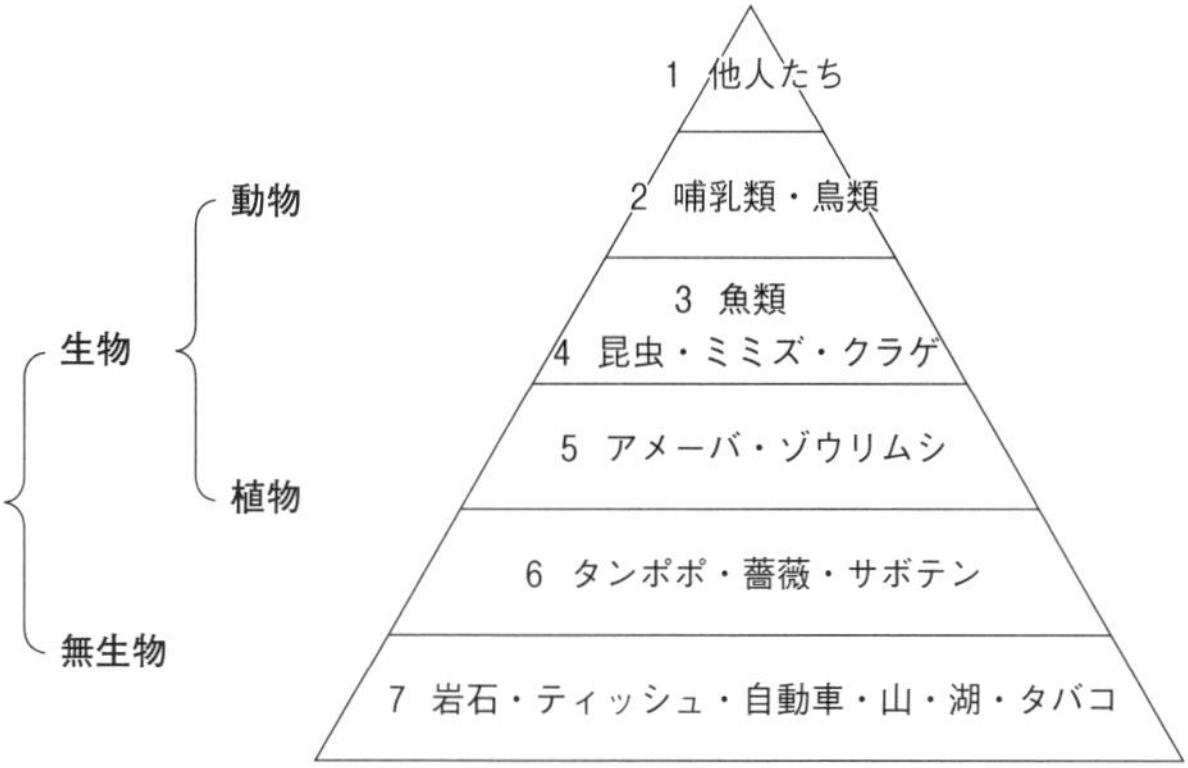

「心があるとして、それはどのような心であるか」の態度の違いによって、ヒエラルキー（階層構造）が考えられる。そのヒエラルキーの一例として、上図を挙げておこう。

ここでもまた、「他者の心」の「心」を、どの層（表層・中層・深層）で考えるかに応じて、ヒエラルキーのどの階層とどの階層のあいだで、（心のあるなしに関して）線引きをするかは変わってくる。

たとえば、表層の心（**ふるまい即心**の水準）に注目する場合には、「ふるまい」として捉えられる動きがあるか否かを基準として、線引きが行われる。その場合には、動きのあるなしとかなりの程度被っている、動物と植物のあいだ（図の5と6のあいだ）で、心のあるものとないものとの線引きが行われるだろう。

あるいは、中層の心（意味のネットワークの水準）

に注目する場合には、中層の心の成立に必要な意味のネットワークの複雑さを、どのように設定するかに応じて、単純な中層の心から複雑な中層の心までの連続的な差異を考えることもできる。その差異に応じて、心のあるものとないものとの線引きも、図の4と5のあいだで行われたり、2と3のあいだで行われたり、変動する。

おそらく、ほとんどの人が、少なくもヒエラルキーの1＋2の「他者」の階層までは、表層・中層の心が存在することを認めるのではないだろうか。人によっては、3や4の階層まで含めたいと思うかもしれない。あるいは、昆虫をこよなく愛する人ならば、ヒエラルキーの3と4の順序自体に異議を唱えて、新たな線引きを試みるかもしれない。いずれにしても、どこでどのように線引きするかは、「他者の心（の表層と中層）」をどのように捉えるかによって変わりうる。

「深層の心（クオリア）」が問題になる場面では、事情ががらりと変わる。それは、表層・中層の場合とは違って、深層の心（クオリア）に関しては、線引きを確定させる「基準」そのものが存在しないからである。

表層・中層においても、（心の存在・非存在についての）線引きは変動しうる。しかし、それは基準の取り方に応じて変動する、ということであって、基準がないわけではない。基準があることができるからこそ、基準は変わりうる。

一方、深層（クオリア）の場合には、物理的相関説もふるまい説も上手くいかなかったことから分かるように、原理的に基準がない。基準を固定して考えることができず、むしろクオリアは、**基準逸脱的である**ことを本性としている。逆転クオリア→ランダムなクオリア→未経験のクオリア→想像不可能なクオリア→……という疑いの深まり（**クオリアの運動**）は、物理的相関説の前提（公理）である「物理的状態との対応関係の一様性」を挫いた。疑いの深まり（**クオリアの運動**）は、ふるまい説の前提（公理）である「ふるまいの違いとの相関関係」を挫いた。「基準」となりうる対応・相関が、根こそぎ失効してしまう点にこそ、クオリアのクオリアたる所以があった。

深層の心（クオリア）の場合には、基準があってそれが変動するのではない。そもそも基準がないからこそ、（クオリアがあるかないか、同じか異なるかの）線引きがどこにでも任意にできてしまう。その任意に可能である線引きを、極端にまで進めると、ヒエラルキーの一番上（他人たち）の頂点にまで引き上げることができる。頂点（自分自身・私）を除いた、その下の三角形のすべてには、クオリアが存在しない（あるいはまったく異なっている）と考えたのが、逆転クオリアやクオリアの不在であった。

ということは、その逆の極端も可能だということである。任意に可能である線引きを、逆の極端（三角形の底辺）にまで引き下げることができる。三角形のすべての階層にわたって、クオリアが存在する（しかも、どんなクオリアでもありうる）と考えることができる。要するに、無生物・モノもまた、深層の心（クオリア）を持つという考えが、導かれることになる。こうして、「正反対」の方向が、同じ「基準のなさ」から導かれる。

ふつうは心が「ない」と思っている蝶（他の生き物）や岩石（モノ）には、心が「ない」ことは証明できないので、実は心が「ある」のかもしれない。

こちらの方向に進むならば、生物・無生物のすべて（あらゆる存在者）には、深層の心（クオリア）があるという考え方が可能になる。これは、**アニミズム**（animism）や**汎心論**（panpsychism）へと道を開く考え方である。「アニミズム」は、すべての存在者には「魂」（アニマ）が宿ると考える説である。また、「汎心論」は、「唯物論」とは対照的に、あらゆるものは心的存在者であり、物質もまたその一変容態であると考える説である。

もちろん、他者の心についての懐疑論の「方向転換」が、アニミズムや汎心論そのものになっているわけではない。懐疑論の「方向転換」後の方向性が述べているのは、あくまでアニミズムや汎心論の「可能性」を開くところまでである。しかし、それでも興味深いのは、懐疑論の可能性の内に、極端な「ない」（他者にクオリアは不在である）から、極端な「ある」（あらゆる存在者にクオリアが存在する）までが含まれていることである。その最大の振れ幅を持った運動こそが、心の深層（クオリア）の核心なのである。

†全体と部分

存在者（生物からモノまで）のヒエラルキーとは別に、「一個体としての全体」と「その構成部分」という区別について考えてみよう。

友人という他人や猫、さらにヒエラルキーを降って一匹のカブトムシや一輪の薔薇について考えるとしても、どれも「一個体」として考えられている。クオリア（独特の質感）を持つとするならば、その「一個体」が所有の主体であると考えられている。どの階層の個体がクオリアを持ち、どの階層の個体はクオリアを持たないかは、ヒエラルキーの問題としてあるけれども、どの階層であっても、クオリアを持つとすれば、その所有の主体は「一個体」だと考えられている。ヒエラルキーの最上階層に位置づけられる「友人（他人）」の場合には、固有名が付いた一個体であり、カブトムシや薔薇の場合には、固有名は持たないとしても、一つ二つと数えられる一個体である。

「一個体」として成立しているということは、固有名を持つ場合には明らかなように、その個体が、かけがえのない一つの全体としての生を営んでいることを表している。たとえ固有名を持たないカブトムシや薔薇であったとしても、一個体（一匹・一輪）として成立しているときには、すでに一つの全体としての生が、その個体に宿る。「一個体」の成立とは、「（生の）全体」の成立に他ならない。一個体の「一」は、「1・2・3……」と数えられる場合の「1」であると同時に、「（生の）全体」の成立を表している。

このような「一個体という全体」の成立と、その一個体がクオリアを持つ主体として考えられることとは、密接に結びついている。意味（概念）を逸脱する独自のクオリアが存在しうることと、かけがえのない一つの全体としての生を営むこと。この二つは、切り離すことができない。一つの生の全体は、意味（概念）による記述の総体をはみ出す。

しかし、その切り離せない結びつきにも、懐疑論は入り込んで来る。「クオリアを有する主体が、一個体であってその構成部分ではないと、どうして言えるのだろうか？」と懐疑論は問う。

この問いに対して、友人は（痛みのクオリアを有しているとき）叫び声を上げるが、友人の毛髪の一本（構成部分）は叫ばないからだ、と答えることはできない。叫び声を上げる／上げないという「ふるまい」の差異は、クオリアの有無や差異の基準としては使えなかった（**ふるまい説**の失敗）。また、友人（の身体全体）には神経のネットワークが張り巡らされているから、痛みのクオリアを持つことができるが、友人の毛髪の一本には、そのようなものはないから、痛みのクオリアを持つことができない、と答えることもできない。（ふるまいだけでなく）物理的過程を持ち出しても、クオリアについての懐疑論を止めることはできなかった（**物理的相関説**の失敗）。

他者のクオリアについての懐疑論の可能性は、「全体としての一個体ではなく、その構成部分の一つ一つが、それぞれクオリアを持つのかもしれない」という可能性にまで及んでいる。この「全体と部分」に関する問題は、「一」という在り方（全体としての「一」・唯一の「一」）とクオリア（深層の心）との関係の問題でもある。第4章で、この問題をもう一度考察することになることを、予告しておく。

†逆向きのロボットの懐疑

懐疑がもっともラディカルになる段階（クオリアの不在）を表象する思考実験が、**ロボットの懐疑**であった。その方向の懐疑は、ふつうは深層の心（クオリア）が「ある」と思われている他者（友人や猫）には、実は深層の心（クオリア）が「ない」かもしれないと疑った。その「ない」ことを表象するのがロボットであり、友人や猫もまた、よくできたロボットであって、深層の心（クオリア）は「ない」かもしれないと疑った。

ロボットの懐疑もまた、「逆向き」に方向転換することができる。ふつうは深層の心

（クオリア）が「ない」と思っている他者（ロボット）には、実は深層の心（クオリア）が「ある」かもしれない。アメーバ等の単細胞生物や岩石やティッシュペーパー等のモノにさえ、深層の心（クオリア）が「ある」かもしれない。そういうアニミズム的な可能性が開けたのだから、況《いわ》んやAI搭載のコンピュータロボットにおいてをや。

しかも、高度なロボットにおいては、深層の心（クオリア）が「ある」かもしれないだけでなく、表層・中層の心もまた「ある」かもしれない。その「高度な」や「AI搭載」という設定は、「ふるまい」や「意味（概念）のネットワークへの組み込まれ」に関しても、十分な段階に達していることを含意しているからである。現状ではまだ十分ではないとしても、十分な段階に達する可能性は開けている。

高度なロボットは、表層・中層・深層の全てにわたって、心を持つ可能性がある。ロボット（あるいはアンドロイド）は、ふるまいや意味（概念）のネットワークの水準で「私」に似れば似るほど——これは技術的に実現しつつある——、その「近さ」を蝶番にして、両極端（懐疑の二つの方向）のあいだで揺れる。どれほどふるまいや意味（概念）のネットワークの水準で「私」に似てこようとも、深層の心（クオリア）だけは「ない」という極端と、ふるまいや意味（概念）のネットワークの水準で「私」に似てくるだけではなく、深層の心（クオリア）も含めてすべてが「ある」という極端とのあいだで揺れる。結局、ロボット（アンドロイド）には、ほんとうの意味で心はあるのか？　ないのか？　「ある」ように見えてほんとうは「ない」のか？　「ない」ように見えてほんとうは「ある」のか？

この「ある」と「ない」の両極端のあいだを大きく振れ動くことは、ロボット（アンドロイド）が不気味な存在でもあることにも、繋がっている。似てくれば似てくるほど、不気味さは大きくなる。それはまるで、とても遠い向こうから突然私の目の前に移動してきて、私に触れて重なろうとする「幽霊」の不気味さにも通じている。あるいは、小さな子どもの姿をした人形が、大きな暗い部屋の隅っこから、音もなく滑るように私に接近してきて、接触しそうな近さで目が合ってしまう不気味さにも似ている。**ロボットの懐疑**から**逆向きのロボットの懐疑**への振幅（あるいはその逆の振幅）の振れ幅の大きさには、種々の問題が纏《まと》わり付いてくる。

✝残る問題、増える問題――コギトとクオリアの関係とは？

ネーゲルのテキストでは、この章の最後で、これまでの考察を経たうえで残り続けている問題を、次の二つの問いの形でまとめて終わっている。(18)

1　自分自身は意識する心であるということを超えて、この世界内の意識する心について、実際は何を知ることができるのか？

2　（自分の心を除けば）意識する心は、思っているよりも、はるかに少なくしかないとか、あるいは、（意識する心ではないと思っているものにさえも）はるかに多くあるとか、そういうことは可能なのか？

要するに、「他者の心」について、認識（知）に関わる問題と存在に関わる問題が、ともに残されている。

ネーゲルのまとめに加えて、この章を通じて浮かび上がってきた問題として、私はもう一つの別の問いを加えておきたいと思う。それは、「他者の心」のほうではなく、「自分の心」「自分自身の意識する心」「コギト」についての問いである。コギトは、第2章と第3章を通じて「原点」であり続けていたが、そのコギト（私の思いの存在）に対して、まだ問われていない問い――コギトとクオリアの関係とは？――を付け加えておきたい。

「他者の心」、とくにその深層である「他者のクオリア」について問う場合には、ネーゲルのまとめの通り（1と2のように）、クオリアがどのようであるかの認識を問う水準と、クオリアはどのような階層の主体に存在するかを問う水準の問題を（すなわち認識と存在を)、切り分けることができる。言い換えれば、認識はできなくとも、異なるクオリアが他者には存在する可能性があるし、あるいは逆に、認識できると思っていたクオリアが、実は他者には存在しない可能性もある。そのように、両水準はズレることができる。

しかし、疑うための「原点」であるコギトに関しては、そのように認識と存在の二つの水準がズレることはない。むしろ、認識の水準と存在の水準が癒着していて切り離せないことこそが、コギトのコギトたる所以であった。

コギトにおける両水準の癒着は、次のように生じた。ほんとうに存在するのか? と疑う・意識するからこそ、当の疑い・意識だけは確実に存在する。疑う・意識するということ自体が存在すること、すなわち認識が生じていること自体(存在)が焦点化される。認識が向かう先の外なる対象の存在は疑わしくとも(いや疑われるからこそ)、その疑うという思い(認識)自体の存在は、疑うことができない仕方で、自己産出的に確実に存在する。

第2章で利用した図式を再び用いよう。コギトへと照準を合わせるということは、外的対象Yや意識内容Yを棚上げにして(削ぎ落として)、X(私の心)の、しかもその中心点だけに焦点を絞ることである。その焦点化によって、認識の水準と存在の水準は癒着する。Y(外的対象)とY(意識内容)の二重化に見られるような、存在の水準と認識の水準の乖離は、Xの中心点としてのコギトには起こらない。Xの中心は、認識即存在である。

外的対象←意識内容←意識
Y←【Y←X（その中心点としてのコギト）】

両水準が癒着するコギトの場合とは違って、クオリアには、認識の水準と存在の水準の乖離が含まれる。他者のクオリアの場合だけでなく、自分自身のクオリアの場合であっても、クオリアには、乖離（認識できないが存在するというズレ）の可能性が含まれている。クオリアの本性が、意味（概念）からの逸脱運動である限りは、私のクオリアであっても、「鈍痛」のような定まった概念（意味）のもとで感じられるクオリアだけがクオリアなのではない。私の心の深層を降《くだ》っていくと、どのような概念（意味）にも収まらない質感や、新たな概念化（意味づけ）を待つのみで、まだ感じられているとは言えない**潜在的なクオリア**（**質的存在**）も存在する。私の心の深層にも、クオリアの概念化（意味づけ）からの逸脱の程度に応じて、**浅めのクオリア**から**深めのクオリア**までの程度の差がある。その「深さ」が、クオリアを、認識（感じ）即存在ではない潜在的な質的存在にする。

一方、コギトは認識即存在であるから、「厚み」のない「点」的な存在である。すでに使った図式の一部分を、次頁のように再利用しよう。上半分を参照。「内の内（認識内の内奥）」がクオリアに相当し、「X↓X」がクオリアの深まり（概念・意味からの離脱）に相当する。「X」の上の「•」は、厚みのない点的なコギトを表す。

さらにまとめて、私の心を【Y↑X•X↓X】と図式化することができる。下半分を参照。コギト（•）は、外への志向性と内への志向性のあいだのゼロ地点（中心点）である。

私の心【•X↓X】
内の内（認識内の内奥）

私の心【Y↑X•X↓X】
内の内（認識内の内奥）

コギトが認識即存在であることは、次のことを意味する。何を想い・何を疑うのかの「何（認識内容）」はまったく関与することなく、何であれ思っていれば・何であれ疑っていれば、（認識内容とは無関係に）その思い・疑い自体が存在する。コギトが「点」的であるとは、コギトが無内容な認識生起それ自体であることを表す。

それに対して、クオリアには「深さ」があって、「点」には留まっていられない。「何を・どのように感じるか」（質感の内容）は、クオリアがクオリアであることに欠かせない。しかし、認識内容に無関与であるコギトと、認識内容に深く関与するクオリアという対照だけでは済まない。それに尽きない点が、重要である。

コギトはコギトで、次の二つの点で、純粋で完全な「点」には留まることができない。一つには、どんなに「何（認識内容）」の無関与性をクローズアップしても、自己産出的に繰り返されるものが、「思い」「疑い」「思考」である点（最小限の認識内容）だけは、捨て去ることができない。すなわち、「何であれ思う」「何であれ疑う」「何であれ思考する」は、「何」に関しては無関与であっても、「思い」「疑い」「思考」であることにはコミットせざるを得ない。「思い」「疑い」「思考」であることが、最小限の認識内容である。

二つ目として、一点目とも関係するが、コギトはその反復（繰り返し）によって、自らの認識即存在を自己産出する仕組みになっている。純粋で完全な「点」からの墜落は、その反復（繰り返し）によってもたらされる。逆に言えば、コギトが純粋で完全な「点」に留まるためには、反復（繰り返し）が不可能な、「ただ一回きり」の思い・疑い・思考の生起でなくてはならない。反復（繰り返し）は、その生起の可能性に基づいているが、唯一回性のほうは、その反復可能性を持たない現実のこの生起のみに留まろうとする（が墜落する）。

コギトとクオリアは、まずは「点的な認識即存在の現実」としてのコギトと、「深さにおける認識と存在の乖離の可能性」としてのクオリアのように、互いに対照的である。しかし、疑いの反復（繰り返し）運動のところでは、互いに通底する。コギトにおいては、疑いの反復運動が自己産出になるし、クオリアにおいては、疑いの反復運動が意味（概念）からの逸脱運動に繋がる。両者に共通の「底」では、「疑い」のあるいは「逸脱」の反復（繰り返し）運動が働いている。

そのうえで、コギトは、その反復運動が不可能になる「唯一回性＝点」としての「これ」を指し示そうとするが、クオリアは、その反復運動の果ての「潜在的な質」としての「あれ」に逢着しようとする。「これ」も「あれ」も、どちらも意味（概念）のネットワークに組み込むことが不可能な外部であるけれども、「これ」は意味（概念）がゼロの地点であり、「あれ」は、意味（概念）がそこから無限に発しうる無尽蔵の地点である。

最後に追加した「コギトとクオリアの関係とは？」という問いに対して、ここでの考察を踏まえるならば、「これ」と「あれ」の関係である、と答えたことになる。もちろん、とりあえずの答えにすぎないが。

「**コギトと他性**」の節（一四二頁）で呈示した楕円と円の図を、再掲しておこう（上図参照）。「コギトと他性」

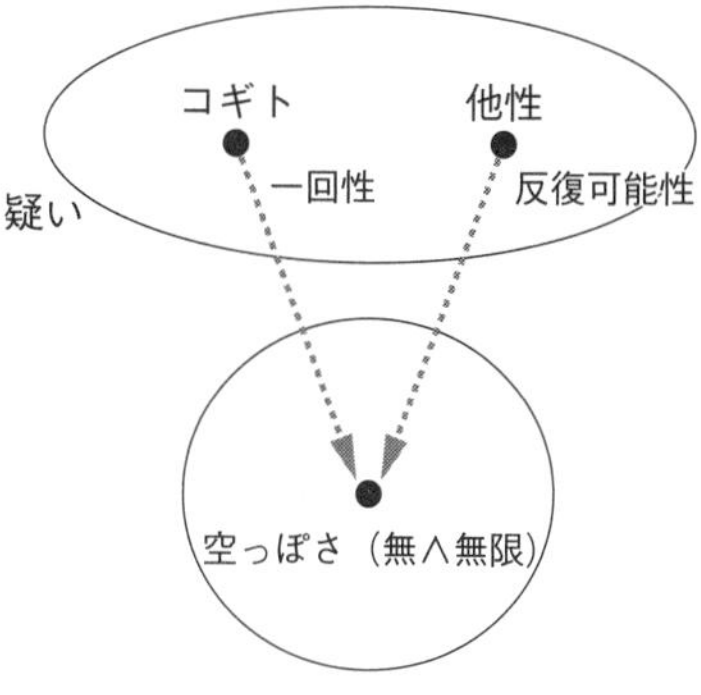

の関係は、「コギトとクオリア」の関係でもある。円の表象における中心点（空っぽさ）は、コギトの場合には、意味（概念）がゼロの地点であることの「空っぽさ」であり、他性（クオリア）の場合には、意味（概念）が無尽蔵の地点であるがゆえに、確定した有限の意味（概念）が「ない」ことの「空っぽさ」である。このように、「空っぽさ」には、「無」と「無限」が重なっている。

第4章
心と脳の関係とはどのような問題か？

†二つの懐疑論からの離脱

新たな問い（心身問題あるいは心脳問題）を問うに際して、ネーゲルはテキストの最初のパラグラフを次のように始めている。

【外的世界についての】懐疑論は忘れてしまって、物理的な世界は、自分の身体や脳を含めて、ふつうに存在するとしておきましょう。また、他者の心についての懐疑論も脇にどけておくことにしましょう。私には意識【クオリア】が存在すると、他者が見なしておいてくれるならば、私のほうも、他者に意識【クオリア】が存在するとしておきます。さてそれでは、意識【クオリア】と脳との関係は、いったいどのようなものなのでしょうか。(1)

まず、第2章の外的世界についての懐疑論と、第3章の他者の心についての懐疑論が、ともに放棄されている。これまで執拗に追いかけてきた問いは、あっさりと棚上げにされている。そうしてもなお、新たな問い（心身問題）が発生する。その新たな問いに集中するためにこそ、これまでの問いは棚上げにしている。とはいえ、どちらの懐疑論も、決定的に退けられたわけではないので、「としておく」（assume）と言われている。この点は、第2章から第3章へと移るときにも同じ進み方であった（"assume"が使われていた）。

二つの懐疑論が放棄されたことによって、一方に、「脳」や「身体」等の外的世界に属する物理的なものが存在し、他方に、心の内的世界に属する「意識（クオリア）」が存在する（としておく）。その両者が存在することを前提にしたうえで、両者（外的世界と内的世界）の**関係**が、新たに問われようとしている。

心と身体・脳は、どのように関係しているのか？ 内的世界と外的世界は、どのような関係にあるのか？

ここでもまた、この問い自体の意味が、それほど明らかではないことに注意したい。その「関係」ということで、どのようなことが（どのような関係が）問われているのだろうか。それ自体が、問われなければならない。以下では、外的世界に存在する物の側をB（Body, Brain のB）、心の内的世界に存在する経験の側をM（Mind のM）と簡略表記する。新たな問いは、「**MとBの関係**」に向けられている。

†MとBの関係とは因果関係のことか？

ネーゲルは次の第二パラグラフで、「Mに何が起こるかは、Bに何が起こるかに依存する」の例示として、四つの例を挙げている。

・つま先をぶつけると、つま先が痛い。
・目を閉じると、目の前にあるものが見えなくなる。
・Hershey Foods 社製のチョコレートバーを囓《かじ》ると、チョコレート味がする。
・誰かに頭を殴られて、気を失う。

これらの例に共通しているのは、Bに起こることが「原因」となって、Mに起こることが「結果」として生じていることである。すなわち、「Mに何が起こるかは、Bに何が起こるかに依存する」とは、**因果関係**（Bという原因が、Mという結果を引き起こす関係）のことを表している。

「つま先をぶつける」は、身体の一部と物との衝突すなわちBの側の出来事であり、「つま先が痛い」は、私に痛みのクオリアが生じるMの側の出来事である。以下同様に、「目を閉じる」は、瞼《まぶた》が光を遮断するBであり、「見えなくなる」は、私に視覚印象（クオリア）が生じなくなるMである。「チョコバーを齧る」は、歯という身体の一部とお菓子という物質のあいだで起こるBであり、「チョコレート味がする」は、私に味覚印象（クオリア）が生じるMである。「誰かに頭を殴られる」は身体どうしの衝突すなわちBであり、「気を失う」は、私に意識のクオリアが消失するMである。どの例においても、次の図式で表せるような**「因果関係」**が考えられている。

B→M：Bが原因となって、Mという結果を引き起こす。

因果関係については、いくつかの補足が必要である。

一つは、「B→M」という図式は、正確には「B_1→B_2→B_3→……→B_n→M」であるという点。「つま先をぶつける」というB_1（原因）は、脚から背骨に繋がっていく神経繊維の興奮を結果として引き起こす。さらに、その結果が新たな原因となって……と連鎖していって（B_2→B_3→……）、最終的に電気信号が脳に届いて（B_n）、その結果「痛みを感じる」というMが生じる。

もう一つは、結果Mが複雑な思考内容を伴う心的状態の場合には、原因Bは必ずしも知られてはいない（脳科学はそこまで発展していない）という点。すなわち、「B→M」という図式において、Bはたとえ発見されていなくとも、原因として存在しなければならないと考えられている。むしろ、原因Bは存在しなければならないと考えたうえで、その詳細（脳の特定部位の物理的状態など）を解明していくのが、科学的な探究である。

第三に、逆の因果関係（M→B）も考えられるのではないか、という点。「手を挙げよう」という思い（M）によって、実際に手が挙がる動作（B）が生じる場合には、Mが原因で、Bが結果であると考えることができる。[2]

この三つの点も含めて、因果関係については、まだまだ論じるべきことがある。しかし、本章において一番重要なことは、**因果関係**（**B→MやM→B**）を前提にしておいて、そのBやMの詳細を探究することは、哲学の問題ではないという点である。それは日常生活での問題や科学の問題であって、哲学の問題ではない。日常生活や科学における心身問題と、哲学における心身問題は、別の問題だということに注意する必要がある。つまり、第4章ではMとBの「関係」が問われようとしているけれども、それは、因果関係の中身（詳細）を問うことではないということである。それでは、哲学の問題は「**MとBの関係**」において何を問おうとしているのだろうか？　その問題へと進む前に、「因果関係」の話にもう一点だけ付け加えておきたい。この補足をすることは、哲学の問題への導入にもなる。

「B_1→B_2→B_3→……→B_n→M」という因果連鎖の図式に、疑問を感じる学生が、必ず一定数いる。その疑問とは、因果連鎖の最後の部分「B_n→M」へ向けられていて、「この因果関係には違和感がある」という仕方で現れる。「B_1→B_2→B_3→……→B_n」までは自然な原因と結果の連鎖に思えるが、「B_n→M」だけは受け入れがたい。「B_n→B_{n+1}」ならば分かるけれども、「B_n→M」には誤魔化しが含まれているのではないか？「M」とは、実は「B_n」のことであるのに、それを上書きしてMと書いているだけであって、B_nとMの関係は因果関係ではないのでは……、という疑問である。次の図式を参照。

$$B_1 \rightarrow B_2 \rightarrow B_3 \rightarrow \cdots\cdots \rightarrow M = B_n$$

この疑問は、B（物理的な外界にある脳や身体）とM（心的な内面）を無造作に架け橋しようとする「因果関係（B→M）」に対して疑いの目を向けていることになる。「つま先に痛みを感じる」というMの実態は、脳の物理的状態なのだから、B_nがその脳の物理的状態であるとすれば、そのB_nが、すなわちM（痛みのクオリアを感じること）なのではないか？それは、「B_n＝M」という関係ではあっても、「B→M」という因果関係ではないのでは？因果関係は、同じ物質の領域内（Bの内）で完結しているのであって、BとMのあいだには因果関係はないのではないか？

この疑問はすでに、因果関係自体をどのように考えるべきか（B_1→B_2→B_3→……→B_nという因果関係のみを容認し、B→MやM→Bという〔異領域間の〕因果関係は認められない等々）、という哲学的な問題にすでに入り込んでいる。

「因果関係」といっても、その関係を前提にして原因の詳細を科学的に探究することと、そもそも因果関係自体をどのように考えるべきかを哲学的に探究することとは、すなわち科学と哲学はかなり異なったものである。この点を念頭におきながら、哲学の問題へと進むことにしよう。

†哲学の問題へ――二つの選択肢

ネーゲルのテキストでは、（科学の問題ではない）哲学の心身問題・心脳問題を、次のような選択疑問の形で、簡潔に表現している。同じ選択疑問が、表現を変えて二回繰り返されていることに注意して、読んでみてほしい。

（……）自分の心は、自分の脳とは結びついてはいても、脳とは異なる何かであるのか、それとも脳【の働き】そのものであるのか。自分の思考・感情・知覚・感覚・願望は、脳内のあらゆる物理的過程に対して、さらに加わって生じるものなのか、それとも、それら自体も物理的過程の一端であるのか。[3]

この選択疑問が表す二つの選択肢の意味を、正確に理解することはかなり難しい。すでに確認してあるように、心の内的経験（思考・感情・知覚・感覚・願望等）も、脳内の物理的過程も、どちらも存在することは、もう疑われてはいない。MとBの存在について、それらが在ると言われるときの存在論的な位置づけが問われている。**存在論的な位置づけ**（あるいは**存在論的な身分**）とは何だろうか。その点が、引用部分の難易度を高くしている。

次のように、考えてみよう。私の部屋には、ペンや付箋もあれば椅子や机もあるし、コンピュータやエアコンや電気スタンドもある。これらをいくつかに分類しようとすれば、文房具と家具と電化製品……のように分けて考えることができる。しかし分類するのではなく、逆に、なるべく大きく一纏めにすることもできる。たとえば、私の部屋にあるものは、すべてモノであると考えるならば、文房具も家具も電化製品も……すべてがモノとして一括できる。用途や材料や色や形などの違いを、すべて捨象すれば、それらはすべてモノである。

このモノによって一括するやり方は、かなり大きな力を持っている。私の部屋の中だけでなく、宇宙の果てにまで適用できて、とにかく宇宙のすべてをモノの集まりとして考えることができる。もちろん、モノと言っても、小さな原子・分子もあれば、部屋の中のモノのような中間サイズのモノもあるし、天体サイズのモノもある。また、モノどうしは複雑に組み合わさって、新たなモノゴトを作り出す。モノの組み合わせは、生命活動や諸々の出来事を構成する。そこまで含めてすべてを、モノの領域として一括できる。

このように考えて、最終的にモノですべてを一括りにできるとみなすならば、究極の存在領域はただ一つであり、それが「モノ（B）」という存在領域である。

それに対して、どんなに存在領域をモノで一括りにしようとしても、それが不可能なほど決定的に異なる、別種の存在領域が残ると考えることもできる。こちらの考え方に基づくならば、究極の存在領域は二つあって、一つは「モノ（B）」という存在領域であるが、まったく異なるもう一つの存在領域がある。それが、「心の内（M）」という存在領域である。二つの対立する考え方は、次のようにまとめられる。

異なる二つの存在領域がある：BとMは二つの異なる存在領域を成している。
存在領域はただ一つである　：存在領域Bだけがあって、Mはその中で説明できる。

究極の存在領域を一つと考えるか、二つと考えるかの見解の相違である。この点を理解するために、第2章で登場した「巨大な夢」や「五分前世界創造説」の話を思い出しておくのがよいだろう。

「巨大な夢」の思考実験の最後で、私は次のように書いた（六二―六三頁）。

> （……）すなわち、空間もまた、巨大な夢の中の空間表象にすぎず、その外には空間も存在しない可能性がある。巨大な夢自体は、空っぽの空間の内に浮かんでいる巨大なアドバルーンではない。（……）巨大な夢の外の「無」は、空っぽの空間のように表象するのは間違いであって、その「無」は、「空っぽの空間」自体もまた無いという「無」でなければならない。

全面的な無の可能性に晒《さら》されながら、なお唯一疑うことができない仕方で存在しているのが、私の思い（コギト）である。夢の懐疑では、巨大な夢そのもの、すなわち「夢の中なのかもしれない」という疑いが無限に反復すること自体が、その唯一確実に存在する私の思い（コギト）に他ならない。その無限反復の外に、私という主体が、存在してその疑いを遂行するのではない。疑いの遂行とその無限反復の可能性自体が、私という存在なのである。ここでは、思考としての私が巨大な夢の存在そのものである。

巨大な夢＝私の思い（コギト）自体は、三次元空間の内には存在しない。その思いの内部に登場する諸々の物事は、三次元空間の内に位置づけられるけれども。ということは、三次元空間に位置づけられる存在領域と、三次元空間内には位置づけられない存在領域の二種類が登場していることになる。

「五分前世界創造説」の思考実験の最後で、私は次のように書いた（六七頁）。

> 外的世界についての懐疑論（夢の懐疑）と過去世界についての懐疑論（五分前世界創造説）は、このようにパラレルなだけではなく、〈私・今の思い〉の存在という、それだけは疑い得ない特異点を共有している。その特異点だけが例外として疑いを免れ、その他の外的世界や過去の実在は、すべて疑うことが可能である。〈私・今の思い〉だけは確実に存在するが、外的世界も過去実在も、ほんとうは存在しないのかもしれない。

その特異点が、コギト（私・今の思い＝存在）である。コギトだけは、三次元空間の内に存在しないだけでなく、一次元的な（線状の）時間の内にも位置づけられない。その思いの内部に登場する諸々の物事は、四次元時空の内に位置づけられるけれども。ということは、四次元時空の内に位置づけられる存在領域と、四次元時空の内には位置づけられない存在領域の二種類が登場していることになる。

このように振り返ることで、懐疑論の背後では、**まったく異なる二種類の存在領域**が想定されていることが分かる。もちろん、もう懐疑論は放棄しているので、疑うためにそれを使うのではない。むしろ、**時空的な存在領域（B）**と**非時空的な存在領域（M）**の二種類の存在領域を立てる**二元論**が、新たな問題（心身問題）の中で問われることになる。その二元論と対立する考え方が、**一元論**である。

一元論によれば、究極の存在領域は時空的な存在領域（B）だけである。その一つの存在領域の中で、非時空的な在り方（M）も説明がつくので、存在領域を余計に増やして二つにする必要はない。あるいは、BとMの二つは、対等に相並ぶ究極の存在領域ではなくて、両者のあいだには依存関係・階層関係があって、土台・基礎に当たる究極の存在領域はただ一つだけである（時空的な存在領域＝Bは一次的であるが、Mは派生的である）。一元論は、そのように考える。

異なる二つの究極の存在領域がある：二元論（dualism）
究極の存在領域はただ一つである：一元論（monism）

二元論と一元論の対立という観点から、選択疑問をもう一度読み返してみよう。

（……）自分の心は、自分の脳とは結びついてはいても、脳とは異なる何かであるのか、それとも脳【の働き】そのものであるのか。自分の思考・感情・知覚・感覚・願望は、脳内のあらゆる物理的過程に対して、さらに加わって生じるものなのか、それとも、それら自体も物理的過程の一端であるのか[4]。

「異なる何か」と「さらに加わって生じる」が表しているのは、存在領域の異なりであり、二つの存在領域が加算されることである。すなわち、二元論の考え方を表現している。他方、「そのものである」「の一端である」が表しているのが、究極の存在領域が一つであることであり、存在領域の依存関係・階層関係である。すなわち、一元論の考え方を表現している。こうして、二つの選択肢とは、二元論と一元論のことであることが読み取れる。

二つの選択肢（二元論と一元論）を、左頁の図のように図式化しておこう。長方形が二つに分かれたうえで、加算されている図が二元論を表し、一つの長方形にもう一方の長方形が組み込まれている図が一元論を表す。

「MとBの関係」を問うことは、両者の因果関係ではなく、MとBは二元論的な関係にあるのか、それとも一元論的な関係にあるのか、この選択を問うことである。

これから、二元論と一元論のそれぞれに深く分け入って、考察を進めることになるが、その前に、少しだけ補足をしておきたい。

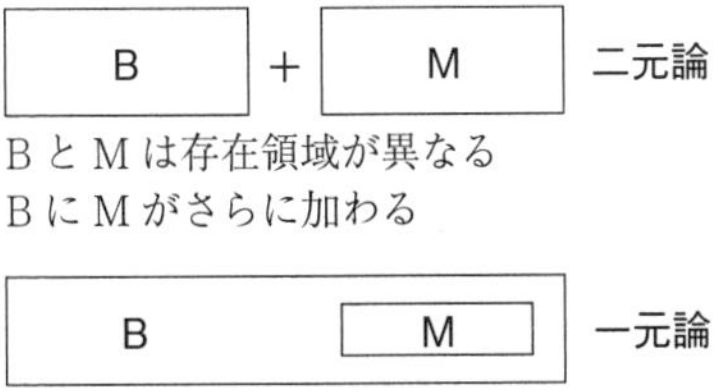

BとMは存在領域が異なる
BにMがさらに加わる

究極の存在領域はBである
Mはその中での現れにすぎない

図を見てすぐ気づくと思われるが、一元論にはもう一つ別の可能性がある。究極の存在領域が「一つ」であることが一元論の眼目であるが、その「一つ」がBではなくMであってもいいのではないか。一元論の図式のBとMを入れ換えたような考え方が可能である。つまり、「究極の存在領域はMである」「BはMという究極の存在領域の中での派生的な現れにすぎない」と考える見解である。

同じ一元論でも正反対の見解なので、呼称も分けておく必要がある。究極のただ一つの存在領域をBであると考える見解は、「物理主義（physicalism）」あるいは「唯物論（materialism）」と呼ばれる。それに対して、究極のただ一つの存在領域をMであると考える見解は、「汎心論（panpsychism）」あるいは「唯心論（spiritualism, idealism）」と呼ばれる。次のように、一元論は二つに分かれる。

- 二元論（dualism）
- 一元論（monism）
  - 物理主義（physicalism）・唯物論（materialism）
  - 汎心論（panpsychism）・唯心論（spiritualism, idealism）

さらに補足を続けよう。二元論を採用するか、一元論を採用するかの選択は、B→MやM→B、すなわち「因果関係」の捉え方にも影響を及ぼす。

ネーゲルからの引用文の中に「自分の脳とは結びついてはいても」という表現があった。これは、二元論を述べる途中で言われている譲歩表現である。ということは、BとMを極めて異なる存在領域として設定しながらも、その二つの領域を因果的に結びつけようとしている。因果的に結合はしているが、異なる存在領域なのだと言っていることになる。

しかし、この譲歩を認めてもよいのだろうか？　時空的な存在領域Bと非時空的な存在領域Mという、極めて異なる二つの存在領域のあいだを跨いで、因果関係で結びつけることなどできるのだろうか。そのような疑問が生じてもおかしくない。

むしろ、BとMを徹底的に異質な存在領域として考えるのならば、因果関係はもちろんのこと、その他のいかなる関係もBとMは持ち得ない（BとMは没関係である）と考えた方が、筋が通るのではないか。

こうして、二元論を少なくとも二種類に分けておくことができる。一つは、**関係的（結合的）二元論**であり、もう一つは**無関係的（独立的）二元論**である。前者は、MとBのあいだに因果関係等を設定するが、後者は、MとBを交わることのない平行線のように考える。こうして、一元論だけでなく、二元論もまた複数の考え方へと枝分かれする。

しかし、MとBのあいだに、因果的な結びつきを認めるためには、二元論よりも一元論の物理主義のほうが、都合がいいのではないか。ただ一つの閉じた存在領域（物理的世界B）の中で因果関係を考えるほうが、異質な二つの存在領域（BとM）を跨いだ因果関係を設定するよりも、筋が通るのではないか。

ただし、物理主義を採用するならば、B→MにおけるMのほんとうの姿（実態）はBであって、Mは見かけの姿にすぎない。そこで、B→Mという因果関係の真の姿は、実はB→Bである。一七五頁で述べた次の疑念は、この問題に繋がっていたことになる。この疑念には、物理主義的な考え方が、すでに含まれていたのである。

「M」とは、実は「B_n」のことであるのに、それを上書きしてMと書いているだけであって、B_nとMの関係は因果関係ではないのでは……、という疑問である。

こうして、二元論を選択するにしても、一元論の物理主義を選択するにしても、いずれにしても、B→MやM→Bという因果関係には、疑問点が残されている。補足はここまでにしておいて、二元論vs物理主義の議論へと移っていこう。

†二元論を支持する論拠――二種類の内部

心身問題（心脳問題）における二元論は、どのような論拠に基づいて主張されるのかを見ておこう。次のような思考実験から、二元論の論拠を読み取りたい。

被験者である私は、チョコバーを食べながらチョコレート味のクオリアを体験している。クオリアの研究をするために、脳科学者が私の頭蓋骨を開けて、味覚に関わる脳の領野を、特殊な顕微鏡を使って覗き込んだり、電極や脳波計などを使いながら測定しているとしよう。

この研究方法によって、ニューロンの活動状況が見えたり、測定結果の数値を読み取ることができたりする。その諸々の結果に基づいて、脳科学者はこう考える。「被験者がチョコレート味のクオリアを体験しているときの脳状態について、色々なことが分かった。しかし、肝心の被験者のクオリアがどのような感じであるかは、まだ分からないではないか！」と。

さらに、脳科学者はこう考える。「被験者の脳に対して、視覚のみによってアプローチしているから不十分なのである。研究対象は味覚のクオリアなのだから、味覚的なアプローチも加えるべきである」と。

脳科学者は、味覚的なアプローチを実現するために、特別な薬品を開発する。その薬品を使うと、脳の表面は、その脳の所有者が食べたものの味がするように変容する。つまり、被験者の私がチョコレート味のクオリアを体験しているときには、私の脳はチョコレート味になる。食べ物の味に応じて変容する脳を実現することによって、脳科学者は味覚を使ってその脳を研究できるようになる。つまり、被験者の私が、チョコレート味のクオリアを体験しているあいだに、脳科学者は、チョコレート味になった私の脳を舐《な》めて味わうことによって、クオリアを探究しようとする。

さて、脳科学者は、被験者である私のチョコレート味のクオリアについて、（視覚によって得られた研究データに加えて）味覚を使った研究によって、決定的な発見をすることができるのだろうか。答えは、否である。なぜか？

脳科学者が、この方法（脳を舐めること）によって発見できる「チョコレート味のクオリア」は、被験者のクオリアではなく脳科学者自身のクオリアだからである。たとえ、被験者の脳が食べたものの味――この場合はチョコレート味――へと変容するとしても、その脳を舐めたときに、舐めた人（脳科学者）が体験できるのは、被験者（私）のクオリアではなく、舐めた人（脳科学者）自身のクオリアである。

この状況は、思考実験であるから、現実離れした想定（味変容する脳を舐める）になっている。しかし、その本質的な点については、第3章の「味見の事例」（一一〇頁）と何ら変わりがない。つまり、体験できるクオリアは、自分のクオリアだけであり、他者のクオリアは、どんな方法を使っても体験することは不可能である。逆に言えば、体験する限り、必然的に自分自身のクオリアになってしまう。

ただし、ここから「他者のクオリアは知りえないので、逆転クオリアやクオリアの不在の可能性がある」という懐疑的な結論を導きたいのではない。この点が、第3章と第4章の決定的な違いである。他者のクオリアの体験不可能性（あるいはクオリア体験が自分のものでしかない必然性）は、懐疑論のためにではなく、二元論の論拠として使われる。

頭蓋骨の「内部」や脳の「内部」は、その頭や脳の持ち主でなくとも、すなわち本人ではなく第三者であっても（いや誰であろうとも）、任意の者が同じように（平等に）観察することが可能である。しかし、心の「内部（のクオリア）」は本人にしか観察することができず、本人以外の他者からは観察不可能である。

　ここには、**二種類の内部**がある。誰にでも平等にアクセス可能な「空間的な意味での内部」と、本人にのみアクセス可能な「非空間的な意味での内部」の二つである。これほど異なる「内部」が二つあるのだから、それに応じて存在領域も二種類考えるべきである。すなわち、**空間的な存在領域**と**非空間的な存在領域**である。前者が身体・脳が存在する存在領域Ｂであり、後者が心（クオリア）が存在する存在領域Ｍである。

　このように、二元論の主張が、**二種類の内部**という考えによって支持される。二元論の主張によれば、私たち人間は、「身体（Ｂ）＋心（Ｍ）」すなわち「**空間的で公共的な存在領域（Ｂ）＋非空間的で私秘的な存在領域（Ｍ）**」の二つが合わさってできている。

†純粋に心的な魂

　ネーゲルのテキストは、二元論の結論を、以下のようにまとめている。

一つの可能な結論は、次のようになります。魂が存在しなければならない。その魂は、何らかの仕方で身体と結びついていて、互いに影響を及ぼし合うのだとしても、存在しなければならない。これが正しいとすると、私は、二つのまったく異なるものから作られていることになります。一つは複雑な物理的有機体であり、もう一つは純粋に心的な魂です（この見解は、二元論 dualism と呼ばれていますが、その理由は明らかでしょう[5]）。

「魂（soul）」という用語が導入されていることが、ポイントである。「心（mind）」ではなく、「魂（soul）」である。「魂」は「純粋に心的な」によって形容されていることからも分かるように、「心」の単なる言い換えではない。むしろ、「心」に含まれている或る不純な要因を削ぎ落として、核心（コア）――純粋な要因――だけを残そうとしている。だからこそ、「純粋に心的な（purely mental）」と表現されている。それでは、「心」における不純な要因とは何であり、純粋な要因とは何であろうか。

　この点を考えるために、第3章で導入した「**心の表層・中層・深層**」という区分が役に立つ。単純化して言えば、表層と中層までが、「純粋ではない仕方で心的な」層であり、深層こそが「純粋な仕方で心的な」層である。より正確に言えば、深層に及ぶクオリアは、純化のプロセスではあるが、まだ完全に「純粋に心的な」には至らない。クオリアのさらに核心（コア）に至ると、「純粋に心的な魂」という呼称に相応しい段階になる。心の表層と中層は、意味（概念）によって作られていた。表層の「ふるまい即心」は基本感情の意味と一体であり、中層は複雑化していく意味（概念）のネットワークと一体であった（第3章を参照）。

意味（概念）に深く絡め取られている心の表層と中層は、その意味（概念）を介して、心の外部（身体・脳や外的世界）とも相互に浸透し合っている。心の外部と意味（概念）が、心の内へと浸透していること。これが、「純粋ではない（不純である）」に相当する。外界との関係性が刻み込まれていて、意味（概念）に浸された在り方で心的であることが、純粋ではない仕方で心的であることである。心の表層と中層に入り込んだ意味（概念）や外界との関係は、「魂」にとっては「不純物」である。

心の深層は、その不純物からの逸脱を反復する層（純化の運動）である。その逸脱運動の反復こそが、**運動としてのクオリア**であった（第3章を参照）。クオリアは、どんなに意味（概念）のネットワークの内に位置づけようとしても、その与えられたポジションをすり抜ける質感を潜在させている。そのように逸脱的な質であり続けることによって、クオリアはクオリアとして深まっていく。クオリアは、その本性によって、心の表層・中層に留まることができず、深層へと降《くだ》っていく。その意味において、クオリアの逸脱反復運動は、「魂」への接近運動である。

さらに、クオリアにも残る「不純物」を削ぎ落として、より「魂」へと接近するのが、コギト（私の思考存在）である。クオリアは、意味（概念）のネットワークから逸脱しようとはするが、それでもまだ、未分化な意味（概念）を潜在的な質として宿している。この潜在的な質をも「不純物」として削ぎ落とした先には、コギト（私の思考存在）が控えている。というのも、コギトは思考の生起それ自体であって、意味内容も潜在的な質もまったく関与してこないからである。コギトは、表層でも中層でも深層の途中でもなくて、厚みを持たない「点」である。だからこそ、コギトは、クオリアよりもいっそう不純物が少なく、「魂」へより接近している（と言える）。

第3章では、コギトを中心点「•」で表して、私の心を【Y↑X•X↓X】と図式化した。コギトは、外への志向性（Y↑X）を持たず、内への志向性（X↓X：クオリアの深まり）も持たない「ゼロ地点•」として表象された。その「ゼロ」が、思考内容は何でもよいこと、その「何」とはコギトは無関係であることを表す。外的対象（Y↑X）も、内的なクオリアの深まり（X↓X）も共に削ぎ落とされている点で、コギト（ゼロ地点）は、「純粋に心的な魂」という在り方に、より接近している。

それでもまだ、「コギト＝純粋に心的な魂」（完全にイコール）とまでは言い難い。なぜならば、コギト（私の思考存在）は、そのつど反復されて、「私の思考」として連続した存在になってしまうからである。反復可能性を含んでしまっているコギトを、「コギト(1)」と表記しておくと、コギト(1)は、その反復可能性と連続性に基づいて、意味（概念）の発生源にもなる。「私」という意味、「思考」という意味、「存在」という意味は、そこから生い立つ。意味の発生源である点で、コギト(1)は、まだ「魂」にとっては「不純物」である。そこで、コギト(1)をさらに純化すると、コギト(2)になる。コギト(1)から、意味の源になるような反復可能性も連続性も削ぎ落とすならば、コギト(2)になる。

　コギト(2)であるためには、反復（繰り返し）も連続も不可能な、ただ一回きりのこの今の私の思考存在でなくてはならない。反復（繰り返し）は、生起することの可能性に基づいているが、「ただ一回きり」「この今のみ」は、その可能性が断たれた一回のみの現実の生起に基づく。たとえ、コギト(2)も、コギト(1)へと墜落するしかないとしても。

　こうして、「純粋に心的な魂」への接近は、クオリアからコギト(1)を経て、コギト(2)：この今の私の思考存在へと至る。さらにコギト(2)から、最後まで残ってしまう「意味」を削ぎ落とすならば、「この」「今」「私」に籠《こ》められた「**これしかなさ**（**＝可能性なき現実**）」へと純化される。「魂」とは、「**これしかない現実**」のことである。

「魂」への接近
心の表層——中層——深層——中心点——魂
【ふるまい→意味→クオリア→コギト(1)→コギト(2)】→これしかない現実

しかし、魂の純化をここまで進めて考えることは、ネーゲルのテキスト読解としては、かなり逸脱している。テキスト内に留まるならば、「純粋に心的な」とは、身体や脳などの物質的な在り方とはまったく異質である点を強調している。そう解釈するのが妥当であろう。すなわち、時空的な存在領域における「内部」とはまったく異なる「特別な内部」を持つこと——一人称性——が、「純粋に心的な」在り方である。その点を強調するために、「魂」という表現が使われている。「魂」とは、「心」の**非身体的・非物質的側面**に光を当てた表現であり、**三人称的にはアクセス不可能な一人称的な内部**のことである。このように考えておけば、ここでは十分である(6)。

†二元論批判

異なる二種類の存在領域を立てて、その一方を「魂」という特殊な存在領域であると考える二元論に対して、次のような反論が予想される。

・魂などを持ち出す議論は、科学が発達した現代においては、時代遅れである。
・心に関する科学的探究は進行中であり、心もまた物質と同じ一つの存在領域（科学的探究が可能な領域）に位置づけられる。
・心と脳・身体との関係は、科学的探究が明らかにすべきものであって、二元論はその関係について、何も解明することはできない。

二元論が「魂」という存在領域を立てるのは、「一人称的な内部」すなわち「私だけの内面性」を特別扱いするからであった。それに対して、二元論を批判する側は、一人称的な内面性を、そこまで（別立ての存在領域が必要なほど）特別なものとしては扱わない。ではどう考えるのか？

受精卵の成長という物理的な活動の延長線上に、脳の出現やその成長、さらに言語活動や思考活動の成立がある。一人称的な内面性の成立もまた、複雑で高度な現象ではあっても、その延長線上にある物理的過程（脳の活動）に他ならない。ゆえに「魂」という別の存在領域を立てる必要はない。二元論を批判する側は、そのように考える。

物理的過程を探究するのは科学であるから、二元論批判は科学的探究を信頼していることとになる。ただし、気をつけなくてはいけないのは、次の点である。

二元論批判は、科学を信頼し、科学による探究の成果に基づく考え方ではあるが、もちろん科学的探究そのものではない。言い換えれば、二元論批判を行っているのは、物理学や脳科学などの科学ではなくて、科学を信頼し科学的成果を重視する哲学である。二元論だけが哲学なのではなく、二元論批判もまた哲学であるという点を忘れないようにしよう。「二元論vs科学」という対立ではなくて、「二元論の哲学vs科学を信奉する哲学」という哲学どうしの争いが生じている。この点を、忘れないようにしよう。

†物理主義

この「科学を信奉する哲学」「反二元論の哲学」を、物理主義（physicalism）あるいは唯物論（materialism）と呼ぶ。ネーゲルのテキストでは、次のように説明されている。

人々は物理的なものだけから構成されていて、心的状態も脳の物理的状態であるという見解は、物理主義と呼ばれています（あるいは唯物論と呼ばれることもあります）。物理主義者は、脳の中のどのような過程が、たとえばチョコレート味の経験と同一とみなされうるのかについて、特定の理論を持っているわけではありません。しかし、物理主義者が信じているところでは、心的状態はまさに脳の状態であり、そんなことはあり得ないと考えるだけの哲学的な理由など存在しないのです【魂が存在しなければならない理由もない】。理論の詳細は、科学によって、これから発見されるべきなのです[7]。

物理主義によれば、心を科学的に探究する場合には、心的状態もまた、他の諸々の物理的なもの（水や石炭やダイアモンド等）と同様に扱うことができる。まだ現状では十分に解明できていないとしても、心だけを特別扱いしなければならない理由はない。科学がさらに進歩すれば、「チョコレート味のクオリアの体験とは、脳のxyz部位のαβγ状態である」（これが特定の理論の仮想的な一例）のように、いずれ解明される日が来るだろう。物理主義者は、そう信じている。

物理主義は、二元論にとっての最重要点である「魂」、すなわち「三人称的にはアクセス不可能な一人称的な内部」を、物理主義の枠内でどのように扱うのだろうか。物理主義では、以下のように考える。

水は、私たちになじみ深い姿においては、透明で冷たく喉を潤してくれる現れ方をする。しかし、科学的な探究によって、水の本質はH_2Oであることが分かっている。つまり、水について、**現れ方（見かけ）と本質**という区別をすることができる。

水を水たらしめているのが水の**本質**（H_2O）であって、**現れ方（見かけ）**はその本質が、人間になじみ深い仕方で認識される際の、一つの様態である。そこで、どんなに「透明で冷たく喉を潤してくれる」姿で現れてくる液体があったとしても、それがH_2Oという本質を持っていなければ、「水」ではなくて、「水に似ているだけの他のもの」である。逆に、どんなに現れ方（見かけ）は異なろうとも、H_2Oであるという本質を持っているならば、それはあくまでも「水」であり、現れ方（見かけ）がなじみ深い姿と違うだけのことである。そのように、**本質と現れ方（見かけ）**のあいだには非対称性があるし、ものの本質と現れ方（見かけ）が異なるのは不思議なことではない。現れ方（見かけ）に囚われず、その本質を明らかにするのが、科学的探究である。

この考え方を、石炭とダイアモンドにも適用するならば、こうなる。どちらも、炭素（C）から構成されているという点では、本質は同じであるが、その現れ方（見かけ）はかなり異なっている。その現れ方（見かけ）の違いは、炭素（C）の配列の仕方（構造）の違いによって生じるのだから、それぞれに固有の炭素（C）の構造体を、石炭の本質、ダイアモンドの本質であると考えることができる。

現れ方（見かけ）から本質へという方向性は、科学的探究を導く基本線であり、水や石炭やダイアモンドに限らず、光や生命に対しても、そして私たちの心に対しても適用される。もちろん、生命や心になると、その本質の大半はまだ解明されてはいない。しかし、本質を明らかにするという方向性は変わらない。いずれ、生命や心についての本質も解明される日が来るだろう。物理主義者は、そのように考える。

「本質と現れ方（見かけ）」という物理主義的な視座から、二元論の「魂」すなわち「三人称的にはアクセス不可能な一人称的な内部」を眺めるならば、次のようになる。「一人称的な内面性」や「クオリア」は、まさに本人にしか現れてこないような特有の現れ方をしている現象である。しかし、そのような現れ方をしていることが、そのまま存在領域を増やすという話に繋がるわけではない。どのような仕方で現れるかは、認識の水準の話であって、究極の存在領域をどう考えるかは、存在の水準の話である。後者の水準は、現れ方（見かけ）によってではなく、本質によって明らかにされるべきである。本質の解明を待つ物理的な存在領域が、ただ一つの存在領域であって、その他の存在領域はない。科学は、ただ一つの物理的な存在領域の本質を、科学的に探究する。

それに対して、そのただ一つの存在領域の一部分としての物理的過程（脳状態）が、その脳の所有者本人にとってどのように現れるか（一人称的な認識）は、あくまで認識の水準の話である。この点を、二元論は誤解しており、認識の水準と存在の水準をごっちゃにしている。正しくは、二つの「内部」が存在するのではない。**時空的な内部**は存在領域の在り方であるが、**非時空的な内部**は、本人にのみそのように現れる本人の認識であって、もう一つの存在領域（魂）として別個に存在するわけではない。

†二元論からの反論

もちろん、二元論は物理主義の考え方を受け入れない。しかし、ただ単に「魂は存在しなければならない」と自らの主張を繰り返すだけでは、哲学的な議論としてはお粗末である。物理主義が「本質と現れ方」という議論によって、二元論批判を展開したのだから、二元論のほうも、その議論に対抗できる仕方で、物理主義を批判する必要がある。これもまた、あの**ジグザグ運動**の実践例となる。

二元論が採用する反論戦略は、物理主義が「**タテ思考**」で考えていたところに、「**ヨコ思考**」を導入することによって、問題場面そのものを移動させることである。どういうことか？

物理主義は、水・石炭・ダイアモンド等のもの（私たちになじみ深いマクロの物質）を、H、O、C等のミクロの物質によって分析・分解する。それを、現れ方（見かけ）から本質へという方向性として呈示した。マクロの物質をミクロの物質によって分析・分解する

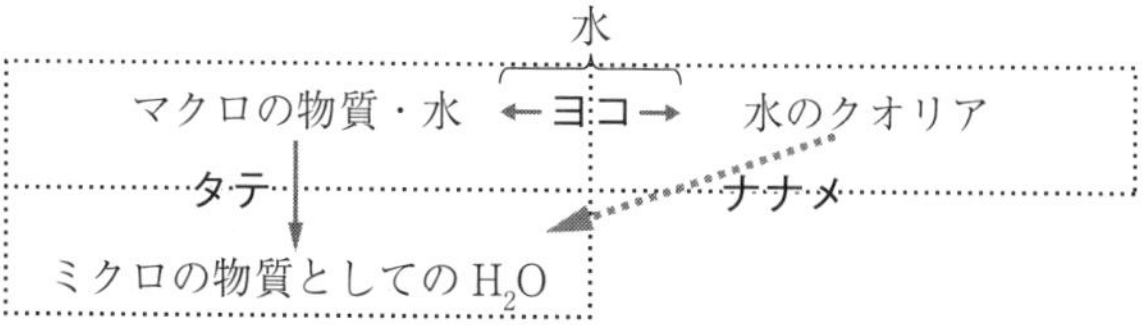

思考を、上図のように、上から下への方向性で表象しておいて、「**タテ思考**」と呼んでおこう。

このタテ思考に対して、二元論は異議を唱えることができる。タテ思考は、（マクロかミクロかの違いはあっても）同じ物質を大から小へと置き換えているにすぎない。肝心の「現れ方」そのものは、その分析・分解のどこにも登場していない。たとえば、「水」の現れ方を分析・分解したいのであれば、「透明で冷たく喉を潤してくれる」と記述されるマクロの物質としての「水」を分析・分解するのではなく、「透明」と感じられている私のクオリア、「冷たい」と感じられている私のクオリア、……を、分析・分解すべきなのである。すなわち、「水」といっても、それをなじみ深い姿のマクロの物質として捉えることと、その物質（についての記述）が、私にどのような現れ方をしているか（「水」の視覚印象や触覚印象など）は、別のことである。「水」を物質の水準で捉えることと、「水」が私に喚起するクオリアの水準で捉えることとを区別する思考を、上図のように左右の区別で表象して、「**ヨコ思考**」と呼んでおこう。

二元論は、物理主義のタテ思考に対して、ヨコ思考を導入することで、科学的な探究の「分析・分解」が、タテにおいてしか行われていないことを批判している。言い換えれば、現れ方からミクロな物質へと向かう「**ナナメの方向**」の分析・分解はまったく行われていない、と批判していることになる。

このように反論することによって、二元論は**タテ方向の存在領域**（物質の領域）の中には回収されない、**ヨコ方向に並ぶ別の存在領域**（クオリアの領域）を呈示している。

さてそれでは、ナナメの方向の分析・分解は可能なのだろうか？　もしそれが可能であるならば、これまでの科学はナナメの分析・分解を十分には行っていないとしても、これからそれを行えばよいだけの話である。しかし、もしナナメの分析・分解は、原理的に不可能であるのだとすると、科学は原理的にクオリアを分析・分解できないことになる。二元論が目指すのは、この後者の議論である。

†魂の「二」性

前頁の図の「**タテ**」の分析・分解は可能であるし、実際に行われている。しかし、「**ナナメ**」の分析・分解は、二元論によれば、「まだ不十分」なのではなくて、そもそも不可能なのである。なぜそう言えるのだろうか？

それは、タテ関係における「全体と部分」という考え方が、ナナメの関係のところでは使えないからである。クオリアに対しては、科学的な分析・分解を成り立たせている「全体を部分に分析・分解する」という発想そのものが使えないのである。なぜ使えないのだろうか？　ネーゲルのテキストは、こう述べている。

> （……）一つの物理的な全体は、それより小さな物理的な諸部分へと分析可能ですが、心的過程では、それが不可能なのです。物理的な諸部分を総合しても、一つの心的な全体になることは不可能です[8]。

「一つ」という在り方には、**根本的に異なる別種の「一」が重なっている**と考えられる。「全体とそれを構成する諸部分」という考え方に含まれる「一」と、それとは別種の分解不可能な「一」である。前者の「一」を、さらに二つに分けておけば、**「一」には三種類の「一」が重なっている**。

1　（諸部分から構成される）**全体としての「一」**

2　（全体を構成する）諸部分の一つ一つとしての「一」（**部分としての「一」**）

3　分解不可能なこれしかなさが貫通する**汎通的な「一」**

1と2が、存在領域Bにおける「一」性であり、3が存在領域Mにおける「一」性である。二元論が「一つの心的な全体」と呼ぶのは、3の意味での「一」性であり、その「一」性を持つものは、やはり「魂」と呼ぶのが相応しい。「魂」は、3の意味においての「一」である。この第三の「一」性は、「一人称的な内部」「非空間的な内部」「私だけの内面性」等々と表現された「内部性」でもあるから、**「魂」とは、私という内部的な在り方が持つ分解不可能な「一」性である**と言うことができる。

心の表層や中層ならば、心の「意味」的な在り方が、どのような要素・要因から成っているのかを分析することは、まだ可能である。その意味で、心の表層や中層は、科学的探究の対象になりうる。しかし、クオリアの深まりと共に心の深層を降《くだ》って、そこからさらに、コギト(1)→コギト(2)→私の「一」性＝魂に至るならば、もうその領域では「全体と部分」という考え方そのものが、意味をなさなくなる。魂（**私の内的な「一」性**）は、〈これがすべてでこれしかない〉という在り方をしているので、部分に分割することも、部分から構成することもできない。クオリアは、その核心（コア）に「魂」が嵌入《かんにゅう》されていることによって、すなわちクオリアは私のクオリアであることによって、分析・分解が不可能な在り方をしている。クオリアから、私の内的な「一」性を抜き去ることはできない。
こうして、分析・総合の関係（**タテ関係**）には回収できない**ヨコ関係**を導入することで、すなわち、**第三の「一」性**を導入することによって、私たちは再び、物質の領域とは異なる魂の領域――二元論的な存在領域――に、舞い戻ったことになる。

†物理主義側からもう一言

二元論が存在領域M（魂の領域）を、**第三の「一」性**にまで煮詰めていくならば、たしかに、それはもう科学的探究の対象にはならない。

しかし同時に、魂の領域をそこまで煮詰めてしまうと、物質の領域と並び立てる、もう一つ別の存在領域ではなくなってしまう。**第三の「一」性**としての魂＝私は、心の表層・中層・深層のような「領域」でさえなくなって、「ゼロ地点●」の表記のように、むしろ「点」へと縮退する。ということは、魂＝私は、存在領域ではなくなり、むしろ厳密な点のように、自らは消え去って全体を貫通する。そうすると、存在領域として最後に残るのは「物理的な存在領域Bだけ」になる。その結論は、物理主義者の主張と、少なくとも表面上は一致してしまう。存在領域は、ただ一つになってしまうのだから。二元論の「魂」は、徹底されるならば、領域としては消え去り、物理主義との区別は付けられなくなる。

二元論と物理主義は対立する見解として始まった。しかし、二元論の核心（コア）である「魂」の存在を純化していくならば、魂は存在「領域」ならぬ「点」へと縮退する。そのことによって、存在領域が一つか二つかという争いにおいては、純化した二元論と物理主義とは区別がつかなくなる。魂としてのMは存在領域としては消え去り「点」になって、存在領域Bだけが残る。二元論vs物理主義の対立は、（見かけ上は）雲散霧消する。

しかし、そのように元々の対立が見えなくなるのは、「純化された心的な魂」についてのみである。こんどは逆に、コアである魂からは離れて、心の深層から中層あたりまで浮上してくるならば（中層のクオリア←深層のクオリア←コギト(1)←コギト(2)←私の「一」性＝魂）、その中層のクオリアについては、物理主義と二元論の対立は、もう一度復活する。たとえば、次のように。クオリアも科学的に分析不可能ではない。物理主義であっても、自らを（次の節で述べる第三の見解である）**機能主義**にバージョンアップするならば、クオリアは機能主義的に（関数的に）分析可能である。

二元論は、科学的な探究によってはクオリアは分析不可能であると考えたが、その理由は**第三の「一」性**にあった。すなわち、心の核心（コア）に、「純化された魂」が嵌入されるからこそ生じる不可能性であった。そうであるならば、その「一」性から離れれば離れるほど、心の層を表層へと浮上すればするほど、科学的な探究によるクオリアへのアプローチも、十分可能になる。心の複層（表層・中層・深層）を適切に分析するためには、物理主義は**機能主義**へとアップデートすればよい。

†第三の見解――機能主義

物理主義が「心的状態（M）は、脳の物理的状態（B）である」という見解であるのに対して、**機能主義**は、その見解をもっと柔軟なものに拡張する。機能主義は、物理主義の見解に**関数的な文脈**を加味することによって、心的状態（M）を形作る「意味（概念）」を掬《すく》い取れるようにする。

機能主義（functionalism）の〝function〟は、「関数」とも訳せるので、「**関数主義**」と呼ぶこともできる。脳の物理的状態（B）を、関数的な関係の中に位置づけるのが、機能主義の基本の考え方である。ネーゲルのテキストには、「機能主義」という呼称は登場しないが、その考え方は、次のように説明されている。[9]

（……）心的状態が心的であるための本質は、その心的状態を引き起こす物事【原因】とその心的状態が引き起こす物事【結果】との関係の内にあります。たとえば、つま先をぶつけて痛みを感じるとき、その痛みは脳の中で起こっている何かではありますが、しかし痛いということは、単に脳内の物理的な特質を合計したものというわけではないのです。とはいえ、痛いということは、神秘的な非物理的な特質であるわけでもないのです。むしろ、脳の中で起こっている何かを、まさに痛みにするものとは、次のような状況・文脈なのです。ある種の脳状態が、たいていはケガによって引き起こされる結果であり、さらにその脳状態が原因となって、たいていは叫び声を上げさせたり、飛び跳ねさせたり、ケガの原因になったものを避けるようになるなどの結果が生じる。そういう状況・文脈【原因と脳状態と結果の三者関係】が、脳の中で起こっている何かを、まさに痛みにする（痛いということが成立する）のです。（……）[10]

ここで挙げられている例は、意図的にシンプルにしてあって、「ケガ（原因）→一定の脳状態→叫ぶ（結果）」を考えている。これが関数的であるのは、「入力→操作→出力」「$x=2$→$y=f(x)=x^2+1$→$y=5$」のような関数の考え方と相同的だからである。

「痛み」についての実際の関数的な関係は、もっと複雑であり、たとえば、「痛い！」と叫び声を上げる結果が出力されるためには、その言葉を習得していなくてはならない。ということは、「原因→脳状態→結果」の成立には、言葉を教える大人たちの関与がある。その言語習得の状況もまた、関数的な関係を成り立たせている要因である。また、関数的な関係を取り巻く状況をいくらか変えるならば、通常は叫ぶという結果が生じるところで、我慢したためにその出力がない、ということも考えられる。そのように、実際の関数的な関係は、いくらでも複雑になっていくが、基本の考え方は、テキストのシンプルな例で十分に表現されている。

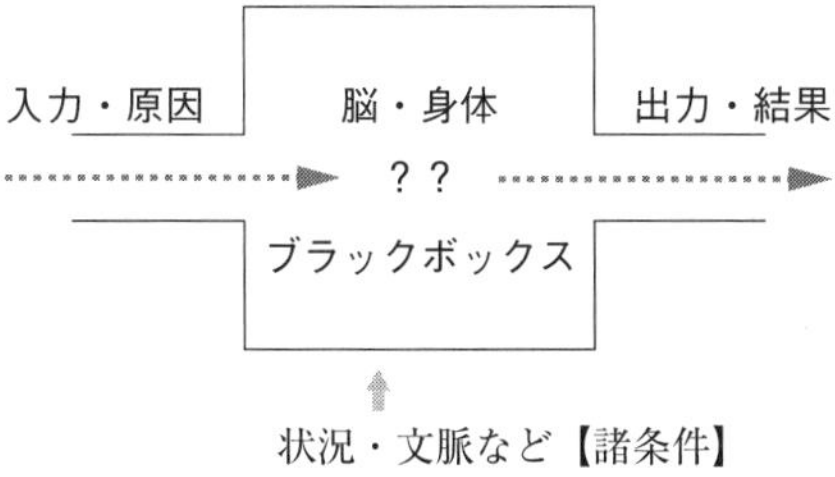

「原因→脳状態→結果とそれを取り巻く状況・文脈などの諸条件」を基本の枠組みとして、心的状態の「意味（先ほどの例では痛みという概念）」の成立を考える見解は、**機能主義**（functionalism）と呼ばれる。関数的な関係は、上の図のようにイメージできる。

機能主義の考え方において一番重要なのは、「**意味**（**概念**）」に焦点を合わせているという点である。引用文中の「痛いということ（が成立する）」「何かを痛みにする」に注目してもらいたい。これは、**「痛み」という意味（概念）の成立**を表そうとしている。単に脳の物理的状態（たとえばXYZ）だけではだめで、それが（痒みや不安ではない）他ならぬ「痛み」というものになるためには、脳状態を取り巻く関数的な諸要因が必要となる。何の原因も何の結果も状況も文脈もない「真空状態」の中では、脳状態XYZだけがあっても、それは「痛み」という意味を持つものとしては成立できない。脳状態XYZが一定の状況・文脈の中に埋め込まれることによって初めて、「痛み」という意味（概念）が、脳状態を基盤としたうえで成立する。

　機能主義の考え方に基づくならば、「痛みを感じる」だけでなく、もっと複雑で微妙な心的状態（たとえば「清々しさ」）も、複雑で微妙な関数的な関係として、捉えることができる。そもそも**心の表層・中層は、意味（概念）のネットワークと一体化して成立している**のだから、意味（概念）の成立を、関数的な関係で考える機能主義の方針と相性がいいはずである。それでもなお、機能主義に疑問点が残るとすれば、それは心の深層（クオリアの深まり）についての疑問である。クオリアの深まりについては、関数的な関係（文脈・状況）によって捉えることは、できないのではないか？

†二元論vs機能主義

　まさに、二元論側はクオリアを「砦《とりで》」にして、機能主義側の考え方を批判する。ネーゲル自身が二元論の観点から、機能主義を批判している。次のテキスト引用箇所がそれに相当する。

しかし、機能主義の見解は、何かを痛みにするのに十分であるようには思えません。痛みが、ケガによって引き起こされるもので、飛び上がらせたり叫ばせたりする原因になるものである点は、その通りです。しかし、痛みはまた、或る一定の仕方で感じられるものであって、その点【感じられるものであること】は、痛みの原因や結果との諸々の関係とは別の何かなのです。感じられるものであることは、痛みに伴うであろう全ての物理的な諸性質――実際にはそれらが脳内の出来事であるとしても――それらとも別の何かなのですが、それに加えて、諸々の関係とも異なる何かなのです。私自身の信じるところでは、痛みやその他の意識的な経験の内的な様相【非空間的な内部性】は、物理的な刺激やふるまいとの因果的な関係のシステム、たとえそれがどんなに複雑なシステムであっても、それによっては適切には分析することができないのです[11]。

「感じられるものである何か」とは、**クオリア**のことである。その何か（クオリア）は、物理的な「何か」でないだけでなく、機能的・関数的に定まる意味的・概念的な「何か」でもないことが、明確に主張されている。

本人が一人称的に内側からのみ捉えることのできる感じ（クオリア）こそが、「痛み」のいわば本体である。それと比べれば、「痛み」という概念がどのような意味のネットワークや因果的な関係のシステムの内で成立しているのか、どのような物理的な基盤（脳状態）に基づくのかは、「痛み」にとって二次的なことだと見なされている。

しかし、機能主義の側は、この**「クオリアの優位性」**を認めないだろう。そもそもクオリアが「どのような質感」であるかを定めるのは、意味（概念）のネットワークや因果的な関係性なのだから、「感じ（クオリア）」の成立のためにも、意味論的な関係性のほうが優位性を持って働く。クオリアがより繊細に深まっていく場合（たとえば、「サッカーボール大の鉛の玉を抱え込んだような鈍痛を感じる」場合）であっても、それは、より複雑になった意味（概念）のネットワークの内に位置づけられた「感じ」であらざるを得ない。その点は、クオリアがどんなに逸脱的になろうとも、それに伴って意味（概念）のネットワークもより繊細に、より複雑に成長するので、**意味（概念）の優位性**は、どこまでも保たれる。

物理主義も加えてまとめるならば、**優位性（一次性）に関しての「三幅対《トリアーデ》」**が成立していることになる。「感じそれ自体（クオリア）」に優位性を置く二元論と「意味（概念）の成立」に優位性を置く機能主義と「物理的な基盤」に優位性を置く物理主義という

「三幅対《トリアーデ》」である。左の図を参照。

二元論の視点に立って、この三幅対《トリアーデ》を眺めるならば、物理主義と機能主義が捉えている世界の実相は、**物理的な実在**および**社会的な実在**という実在の半面にすぎないのであって、もう半面の**心的な実在**を捉え損なっていることになる。物理的な実在および社会的な実在は、誰であっても原理的に認識可能な実在であるが、心的な実在だけは、本人だけが一人称的に認識可能な実在であって、他者からは認識不可能な実在である。

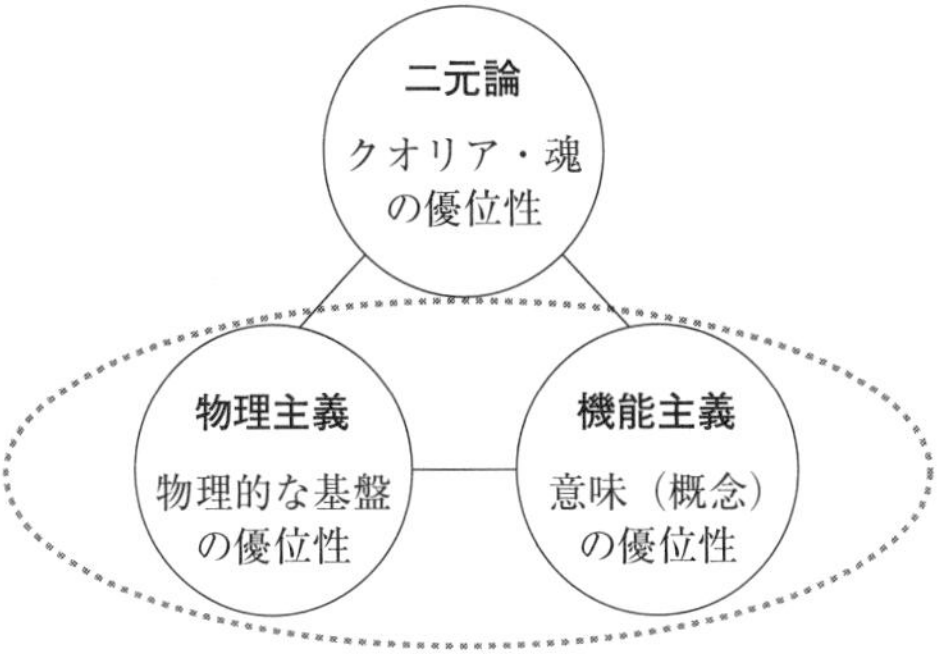

しかも、第3章の「懐疑論の方向転換」「ヒエラルキーとアニミズム」で考察したように、二元論が主張する**心的な実在**（クオリア・魂）は、必ずしも人間に限定されたものではなかった。ヒエラルキー（犬・猫・馬・鳥・魚・蟻・カブトムシ……）のどこまで、心的な実在を認めるかという線引き問題が実際には起こるとしても、原理的には、文字通りの全ての存在物（ヒエラルキーの全体）が、心的な実在（クオリア・魂）を有すると考える

アニミズム的な可能性が開かれている。ただし、心的な実在がそのように遍在することになれば、それはもう二元論ではなくなって、**汎心論**あるいは**唯心論**という一元論へ転化するけれども。

†第四の見解——二重様相説

二元論は、物理主義＋機能主義に向かって、「もの」や「意味（概念）」の探究によっては、けっして解明することのできない領域（心的な実在）があることを主張している。世界はまったく異なる二種類の実在から構成されていて、それは物理的・社会的な実在と心的な実在である。二元論は、そう考えた。

さて、この二元論の発想（一定の認識方法では捉えられない実在がある）をさらに押し進めるならば、次のように言うことはできないだろうか。「もの」や「意味（概念）」だけでなく、そこに「クオリア・魂」を加えたとしても、その全ての認識方法を使っても、けっして捉えることのできない**領域X**は存在しないのだろうか？

領域Xこそが実在であると考える見解が存在する。その見解は、二元論・物理主義・機能主義のどれとも異なる、第四の見解——**二重様相説**（Dual Aspect Theory）あるいは**中立一元論**（Neutral Monism）と呼ばれる。

あれほど対立的であった二元論と物理主義および機能主義の三者のすべてが、共有している見解がある。それは、「脳は物理的過程・状態である」という見解である。二元論であっても、そのことを否定しない。（否定しないどころか）肯定しているからこそ、脳とは別立てで、魂という非物理的な存在領域を、二元論は必要とした。

しかし、この共通見解（脳は物理的過程・状態である）自体を放棄する道が残されている。つまり、脳という存在を、物理的な存在領域（B）から、真に実在する存在領域（X）へと格上げして、存在論的な位置づけを変える道（第四の見解）がある。

言い換えれば、共通見解の「脳は物理的過程・状態である」の「である」の解釈を変える道（第四の見解）がある、と言うこともできる。「である」の意味を、「＝（イコール、同一性）」ではなくて、「主語が述語を含む」＝「実体としての脳が、属性として物理的な特徴を含む」と解釈すればよい。「水はH_2Oである」の「である」よりも、「水は透明である」の「である」に近い仕方で、「脳は物理的状態である」を解釈するということである。

新たな「である」解釈の下では、こうなる。実体としての脳（実在する存在領域X）は、属性（性質）として物理的な特徴を含むので、「脳は物理的である」と言ってかまわないが、属性（性質）は物理的な特徴だけではないことに注意しよう。実体としての脳（実在する存在領域X）は、非物理的な特徴（クオリア等の心的な特徴）も含む。要するに、実体としての脳（実在する存在領域X）は、物理的な属性（特徴づけ）も含むが、心的な属性（特徴づけ）も含んでいる。脳は、物理的な属性と心的な属性の両方を含んでいる。

逆に言えば、物理的な属性（特徴づけ）も心的な属性（特徴づけ）も、どちらも究極の存在領域（真に実在する存在領域）の一面しか捉えていない。実体としての脳（存在領域X）は、物理的な三人称的な現れ方もするし、心的な一人称的な現れ方もするが、そのどちらの現れ方も超えて、実在する。

この第四の見解の最大の特徴は、次元が一つ上がったことである。二元論vs物理主義では、心的である（M）という特徴づけ、物理的である（B）という特徴づけは、そのまま存在領域の在り方になっていた。MとB両方の存在領域を認めるか、Bだけかの違いはあっても、MやBはそのまま存在領域を表していた。しかし、第四の見解においては、MやBは、存在領域をそのまま表すのではなくなって、存在領域の内に含まれる諸属性の一つ一つを表すように格下げされた。その格下げと相即的に、存在領域のほうは次元が一つ上がって、MやBでは表せなくなり、「何らかの存在領域X」としか言えなくなる。これまで存在領域だったMやBは属性（性質）に格下げされて、そのMとBを自らの属性（性質）の一部とする「高次の何か」、そうとしか言えない存在領域へと、実体は格上げされる。

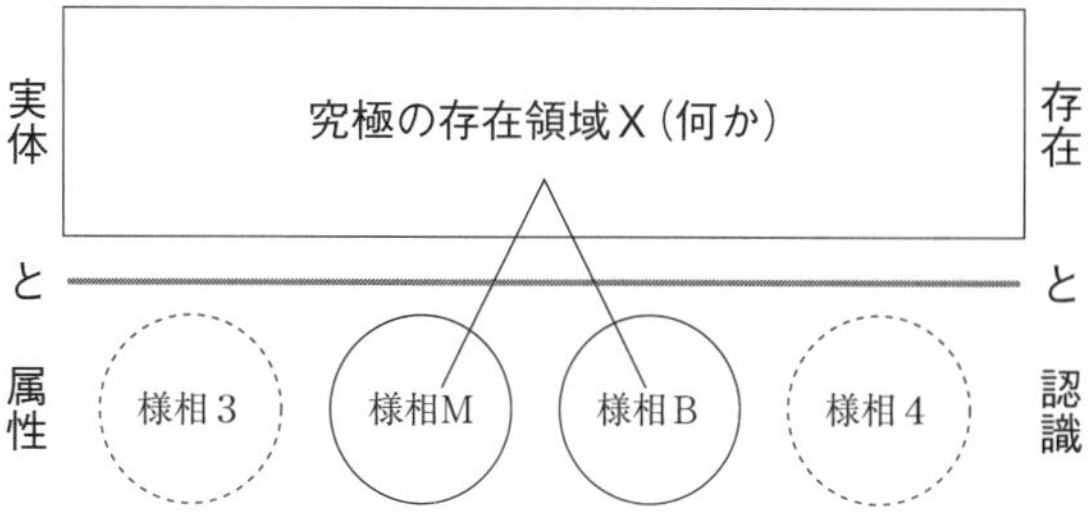

この格上げ（格下げ）は、これまでの考察に含まれる或る方向性の徹底化という側面を持っている。それは、**認識と存在の隔たり・乖離を拡大していく方向性**であり、その徹底化である。

この観点から見るならば、物理主義が信奉する科学的な認識の網にも、機能主義による意味（概念）のネットワークによる意味論的な認識の網にも、そのどちらにも捕捉されないのが二元論的な魂の存在領域であった。三人称的な（客観的な）認識が不可能なところに、魂・クオリアの存在が位置づけられた。こうして、二元論に基づくならば、「魂」「クオリア」は、三人称的な（客観的な）認識からは隔てられた（存在領域Bからは乖離した）存在を獲得する。

しかし、それでもまだ、魂・クオリアという存在領域は、本人にのみ可能な一人称的な認識とは一体化したままである。その意味では、**認識と存在の隔たり・乖離**は、まだ半分の段階に留まっている。隔たり・乖離をさらに完全なものにするためには、三人称的な（客観的な）認識からだけでなく、本人にのみ可能な一人称的な（主観的な）認識からも隔てられるべきである。その方向性を実現しているのが、「何らかの存在領域X」を高次の水準に置く、第四の見解である。前頁の図参照。高次の実体Xは、人間が手にしている二つの認識様式――三人称的な（客観的な）認識と一人称的な（主観的な）認識――のどちらによっても、十全に捉えることはできない。できないからこそ、「存在領域X」としか言えない。そのXに対して、三人称的な（客観的な）アプローチをすれば物理的な特徴（様相B）が現れるし、一人称的な（主観的な）アプローチをすれば心的な特徴（様相M）が現れるが、その二つの現れ方（ものと心）は、実体Xが持つ限られた二つの様相にすぎない。実体Xは、二つの様相を（さらに人間には認識する術のない三つ目、四つ目の様相も）同時に持ち、それらの様相を超えた「何か」である。

この第四の見解が、**二重様相説あるいは中立一元論**と呼ばれる理由は、もう明らかであろう。物理的様相Bと心的様相Mの二つを同時に持つことに焦点を合わせるならば「**二重様相説**」と呼ぶことができる（さらに**多重様相説**にもなりうる）。また、高次の実体Xが、どちらの様相も同時に持つが、そのどちらでもなく、それ以上の「何か」であることに焦点を合わせるならば、「**中立一元論**」と呼ぶことができる。

†アナロジーとしての反転図形

二重様相説あるいは中立一元論が、他の三つの見解（二元論・物理主義・機能主義）よりも分かりにくいのは、当然である。肝心の究極の存在領域（実体）に関しては、何の特徴づけも与えられずに、「何か」や「X」としか言われていないのだから。しかし逆に、こうも言える。究極の存在領域（実体）であるのに、BだとかMだとか、たかだか人間水準の認識様式によって十分に捉えられると思っているほうが、よほど思い上がっていないだろうか。「分かりにくい」ほうが、究極の存在領域（実体）に対しては、ずっと理に適っているし、そのほうが相応しい[12]。

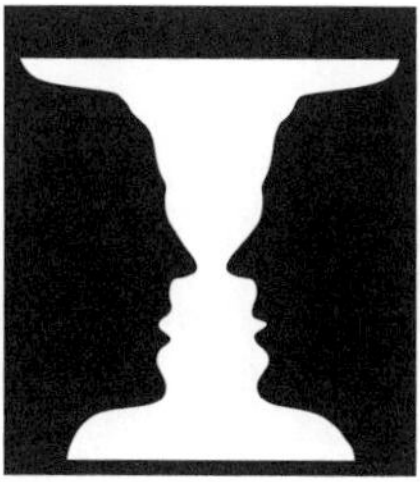

そうは言っても、もう少し理解を深めるために、工夫をしておくことはできる。それが、反転図形をアナロジーとして使う理解の仕方である。あくまでも「アナロジーとしての理解」なので、限界も同時にあることを忘れてはいけない。

ここでは、有名な「ジャストロウのウサギ・アヒルの図」（上図・右）と「ルビンの盃」（同左）を利用しよう。

「ウサギ・アヒルの図」は、文字通りウサギにもアヒルにも見える。左側の二本突き出した部分を、長い耳と見るかくちばしと見るかによって、あるいは右側の小さな窪みを口として意識するかしないかによって、ウサギに見えたりアヒルに見えたりする。二つの見え方は、互いに排他的で反転する。

「ルビンの盃」では、黒い背景地に白い盃（あるいは壺）の図が見える場合と、白い背景地に黒い横顔の二人が向き合っている図が見える場合の二通りあって、互いに排他的で反転する。黒と白のあいだで、図と地が反転するタイプの反転図形である。

　これらの反転図形のアナロジーとしてのポイントの一つ目は、それぞれ「ただ一つの絵があるだけ」という点である。ウサギ・アヒルの図で言えば、そこには線と点で描かれたただ一つの絵があるし、ルビンの盃で言えば、白・黒で構成されたただ一つの絵があるだけである。

　二つ目のポイントは、それぞれ絵としては「ただ一つ」であるのに、二つの見え方をするという点である。しかも、その二つの見え方は、一方が見えているときには他方が見えないという排他性がある点も、重要である。

　この二点を、二重様相説あるいは中立一元論のアナロジーとして利用することができる。一点目の「ただ一つの絵がある」という点は、究極の存在領域である実体Xが、ただ一つだけあることに対応する。二点目の「二つの排反的な見え方がある」という点は、物理的様相と心的様相という二つの様相（属性）があることに対応する。

二つの見え方が排他的である点も正確に対応していて、脳をものとして物理的様相で捉えるときには、脳の所有者本人としての心的様相は現れてこないし、その逆も同様である。物理的様相と心的様相は、あるいは客観的な見え方と主観的な見え方は、ウサギとアヒルのように（盃と二人の横顔のように）どちらか一方の様相（見え方）でしか現れてこない。しかし、二つの様相（見え方）のあいだを往き来することはできて、様相（見え方）は反転する。

また、ウサギやアヒル、盃や二人の横顔のような「見え方の用語」を使うことなく、ピンポイントで「ただ一つの絵」を名指すことは、かなり困難である。「こういう曲線のカーブと点と窪《くぼ》みによって……」「黒の面のギザギザと白の面がこう嚙み合って……」とでも説明するしかない。そうかといって、単に二つの見え方（ウサギとアヒル）を並べて言うだけでは、元々の「ただ一つ」性を十分に捉えることはできない。

この点は、物理的様相と心的様相を使うことなく、実体Xをピンポイントで捉えることは難しい（それ故「何か」「X」と言うしかない）ことに対応している。また、そうかといって、物理的様相と心的様相を二つ合わせただけでは、様相の水準を超えた実体Xの「ただ一つ性」を、十分に捉えることはできない。

もちろん、アナロジーによる理解には限界があることも、忘れないようにしよう。反転図形の場合には、「ただ一つの絵」は、視覚的な現れとして、目の前にはっきりと姿形を持って登場している。しかし、実体Xのほうは、そのようにそれ自体で現れることはあり得ない。(「ただ一つの絵」のような)視覚的な姿形自体は、様相の水準(物理的様相であったり心的様相であったり)なのであって、けっして、実体Xの水準ではない。実体の水準は、やはり「何か」「X」としか言いようがない。この点では、アナロジーは崩れざるを得ない。

†二重様相説と機能主義の関係

ここまで、**二重様相説あるいは中立一元論**の見解を、主に**二元論**と**物理主義**に対照させることによって考察してきた。実体がただ一つと考える点では、物理主義と同様に「一元論」であったが、その「一元」は物理的な実体ではなく「X」である点では、物理主義とは異なっていた。また、実体がただ一つと考える点では、二元論とは異なっていたが、物理的様相と心的様相という仕方で、ものと心の両方が対等に認められる点では、二元論と親和的でもあった。

それでは、**二重様相説あるいは中立一元論**と、（第三の見解であった）**機能主義あるいは関数主義**との関係は、どのようになっているのだろうか。すなわち、第四の見解と第三の見解の関係は、どのように考えることができるのだろうか。

　機能主義あるいは関数主義は、これまでのところでは、物理主義を補完して、バージョンアップする見解として扱われていた。つまり、脳状態や身体という物理的なものを中核（ブラックボックス的な中核）にしながら、そこに因果関係（入力出力関係）や条件としての文脈・状況等を加味することによって、その**全体が織りなす「関係性（関数）」**に注目した。その関係性（関数）の内に、心的状態（痛みや不安や意図等々）の**意味（概念）の成立**を見て取る見解が、機能主義あるいは関数主義であった。

　しかし、機能主義あるいは関数主義の考え方は、物理主義的な物質（いわゆるモノ）の束縛からもっと解放されて、より自立的な見解へと移行することが可能である。というのも、機能（関数的な関係性）は、それが「どのような物理的な基盤において実現するか」という点からは独立に（いわば抽象的に）、それ自体として考えることが可能だからである。たとえば、二つの異なる物質・素材から作られた装置であっても、同一の機能（関数的な関係性）を実現できるならば、物理的には別ものであっても、機能的には同一であると見なすことができる（タンパク質から成る脳とシリコン製の脳のように）。

物理的な基盤・素材から自立した、抽象的な機能（関数的な関係性）の水準は、「**情報**（information）」として捉え直すことができる。「情報」は、基本的には1と0の配列としてイメージすることができるが、その差異（1/0）を物理的にどのように実現するかは棚上げにしておいて、差異そのものを情報として扱うことができる。パーソナルコンピュータが提供する画像や映像や文字等の「機能」の実体は、1と0の複雑な配列による「**情報**」であることを想起するならば、この考え方は理解しやすいだろう。

ここからさらに、その抽象的な「情報」のほうに立脚して、むしろそちら側（情報体）から、物理的な基盤（モノ）や心的状態の意味（概念）が、具現化してくると考えることもできる。そうなると、「情報」のほうこそが実体であり、物理的状態と心的状態のほうはどちらも、その**一つの実体＝情報体の二つの異なる様相**（**現れ**）になる。これこそが、機能主義の徹底化された姿であり、**情報主義**（**情報実体論**）と呼ぶことができる。[13]

機能主義を徹底化した**情報主義**（**情報実体論**）は、二重様相説あるいは中立一元論の一種である。物理的でも心的でもないが、どちらでもありうる中立的な「実体」として、情報空間のような究極の存在領域が考えられている。その抽象的な実体が、物理的な現れや心的な現れとして、受肉して具現化する。**情報主義**（**情報実体論**）は、二重様相説あるいは中立一元論の実体Xのポジション（何か）に、「情報」という答えを代入する見解である。

二元論からも物理主義からも離脱して、認識との隔たりを極端に大きくした存在領域が、二重様相説あるいは中立一元論の実体のポジションであった。そのポジションに、第五の見解の「情報」が降り立った。第五の見解の**情報主義**（**情報実体論**）は、**物理主義**のバージョンアップである**機能主義**のさらなるバージョンアップである。その結果、**中立一元論**に近づいた。「情報」という抽象的な存在が、中立的な実体のポジションを占めようとしている。五者間の、これまで見てきたような**力動的な関係性**こそが、私には最も興味深い。

†五つの見解を俯瞰する——認識論・存在論・意味論の観点から

ここまで、五つの見解が登場した。二元論も「関係的な二元論」と「無関係的な二元論」に分かれるし、物理主義の鏡像のような「汎心論あるいは唯心論」もあり、見解の総数はもっと増えるが、本書では言及しただけなので、数に入れていない。

1　**二元論**
2　**物理主義**
3　**機能主義あるいは関数主義**

4　二重様相説あるいは中立一元論
5　情報主義あるいは情報実体論

これらの五つの見解について、**認識の水準・存在の水準・意味（概念）の水準**という三つの観点から振り返り、俯瞰しておこう。

そもそも、この第4章のテーマである「心身問題」「心脳問題」では、「心」と「脳」「身体」に関して、その存在領域の「数」と「何であるか」が問われていた。その点で第4章は、第2章や第3章の「どのようにして……知るのか？」という**認識論的な問い**と比べると、当初から**存在論的な問い**として始まっていた。

しかし、その存在論的な問いの内部では、さらに**認識の水準・存在の水準・意味（概念）の水準**が、互いに優位性を争いながら、絡み合うことになる。いわば、認識・存在・意味の三者は、**自己相似的に（フラクタルのように）**、それぞれの内にそれぞれが入り込む仕方で、大小の三者関係を反復し続けることになる（左頁の図を参照）。

二元論における魂の存在は、一人称的な認識の特殊な内面性に基づいていた。一人称的な認識の内面性が、即そのまま非空間的な内部という特別な存在領域になっていた。その意味で、魂の存在領域では、認識の水準と存在の水準が癒着している。

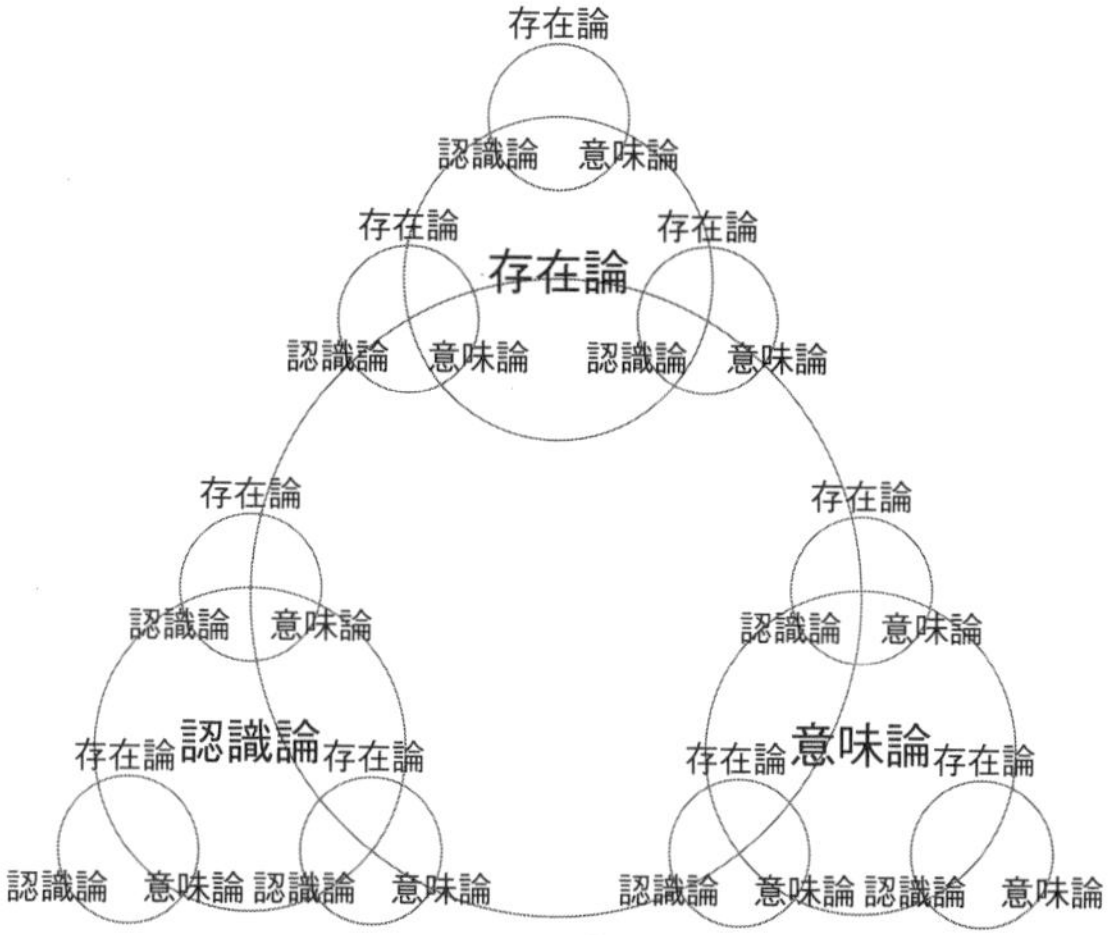

魂の存在領域だけでなく、物理的な存在領域でも、物質という在り方は三人称的な科学的認識と一体化している。物質とは、物質として科学的に認識されるもののことである。物理的な存在領域でも、認識の水準と存在の水準のあいだには、ほとんど隔たりがない[14]。要するに、科学的に認識されて記述されるものが、即そのまま物理的な存在者になっている。だからこそ、究極の存在領域を「物理的な存在領域B」と呼ぶことができた。

魂の存在も物理的なものの存在も、**どちらも認識の水準と存在の水準のあいだに乖離がない**。二元論と物理主義は、鋭く対立しながらも、認識の水準と存在の水準の一体化を共有していて、その点では、まるで双子のようである。

しかしながら、物理主義から見れば、二元論の「一人称的認識の特殊性と特別な内部（魂）の存在との癒着」は、不満の種《たね》である。「自分たちはほんとうは似ていないのだ！」と言いたげである。認識の水準で特有の現れ方をするからといって、どうして存在の水準で別個の存在領域（魂）を立てなくてはならないのか？　それは、異なる水準の混同だ！　物理主義は二元論に対して、そう不満を言いたいだろう。

それでも、二元論と物理主義は「やはり、よく似た双子である」と指摘するのが、二重様相説あるいは中立一元論である。「二元論の癒着・混同を責めているけれども、物理主義だって、同じ癒着・混同を犯しているのではないかい？」という目を物理主義に対して向けるのが、二重様相説あるいは中立一元論である。一人称的な認識を、そのまま存在領域（魂）にしているのと同様に、三人称的な認識を、そのまま存在領域（もの）にしているのが物理主義である。**二元論も物理主義も、どちらも認識の水準と存在の水準を一体化させながら、究極の存在領域を問うている点で、やはり「双子」なのである。**二重様相説あるいは中立一元論ならば、そのように考える。

だからこそ、二重様相説あるいは中立一元論は、認識の水準と存在の水準のあいだに、大きな楔《くさび》を打ち込む。一人称的な認識であれ、三人称的な認識であれ、認識によって捉えられるのは「様相」「現れ」「属性」の水準であって、それがそのまま「実在」「究極の存在領域」なのではない。実在の水準は、一人称的にも三人称的にも現れるけれども、どちらの現れ方も超えた存在領域である。しかも、一人称的な認識（主観的な認識）も三人称的な認識（客観的な認識）も、どちらも人間に限定された認識の仕方にすぎない。それ以外の認識方法は「ありえない」とまでは言えない。だとすれば、実在の水準を、第三の・第四の……非人間的な認識の仕方によって別様に捉えること（三重様相・四重様相……）も、ありうることになる。

こうして、二重様相説あるいは中立一元論は、認識の水準と存在の水準とのあいだを切断して、その隔たりを拡大する。それゆえ、究極の存在の水準は「X」あるいは「何か」という「謎」を残したままの表現にならざるを得ない。

二元論・物理主義・二重様相説あるいは中立一元論の三者が、認識論と存在論の水準という同じ土俵上で争っていたことは、これで明らかであろう。一体化させるか切り離すかの違いはあっても、その二つの水準を巡っていることに変わりはない。

ここに異なる観点――**意味論の水準**――を持ち込むのが、**機能主義あるいは関数主義**であった。機能主義あるいは関数主義は、物理主義を補完するような仕方で登場していたが、その考え方の持つインパクトは、「もの」を基礎とする物理主義的な考え方自体を覆す可能性を秘めている。もちろん、「心」を基礎とする二元論的な考え方自体も、そのインパクトを免れることはできない。それほどの威力を持つのは、**「意味（概念）」の水準**を基礎にして考えているからである。

「物理的な状態」にしろ「心的な状態」にしろ、あるいは「空間的な内部」にしろ「非空間的な内部」にしろ、それぞれが概念（物理という概念・心という概念・空間という概念・内部という概念等）によって構成されている。それらの概念が意味を持つからこそ、物理主義や二元論として表現することもできる。物理的なもの自体よりも、それを「物理的なもの」として把握させている概念のほうがより基礎的であり、心的な状態自体よりも、それを「心的な状態」として把握させている概念のほうがより基礎的である。それらの概念に含まれている意味を可能にしているのが、関数的な因果関係・文脈・状況のネットワークなのであった。

　或る仕方で感じられるものが、「痛み」という意味を獲得するためにも、その概念を習得する過程も含めて、その感じが位置づけられる諸々のネットワークが必要であった。「痛み」から「刺すような疝痛《せんつう》のクオリア」という概念へと複雑化するならば、なおさら繊細なネットワークの網目が必要とされる。この点は、より高度な物理的過程を探究するためには、その過程を表す概念が、より専門的で高度な概念のネットワークの内に位置づけられる必要があることと、基本的には同じことである。

このように考えるならば、**機能主義あるいは関数主義**は、二元論や物理主義の背後に回り込むことによって、認識論・存在論の水準よりも**意味論の水準**を、より基礎的なものに据える見解を呈示していたのである。**「認識論・存在論 ∧ 意味論」**という関係性になっている（不等号「∧」が優位性の関係を表す）。

それに対して**「認識論・意味論 ∧ 存在論」**の関係性を強調したのが、**二重様相説あるいは中立一元論**であった。究極の存在領域としての実体が、「X」「何か」としか言えないのは、機能主義的な「意味（概念）」を、実体には与えることができないからである。実体Xは、意味（概念）の水準も、認識の水準も（科学的認識であれ一人称的認識であれ）超えているからこそ、真に究極的な存在領域なのであった。

機能主義あるいは関数主義は、その抽象度や自立度を上げて、**情報主義あるいは情報実体論**として回帰してきた。そのバージョンアップした姿は、二元論的な心（魂）と物理主義的なものの両方を、抽象的な実体（情報）の二つの現れ方（様相）と考えた。その点で、情報主義あるいは情報実体論は、二重様相説あるいは中立一元論の一種であった。実体「X」「何か」のポジションを、「情報」という抽象体によって埋めてしまうタイプの二重様相説あるいは中立一元論である。**情報こそが意味（概念）**と考えるならば、実体「X」「何か」が、意味論的な「情報」によって埋められていることになり、**「認識論・意味論**

∧**存在論**」から「**認識論・存在論**∧**意味論**」へと再び転換していると捉えることもできる。

究極的な存在領域（実体）は、認識することも意味（概念）で捉えることもできないX（何か）に留まるのか、それとも抽象的な情報空間のような意味的・概念的な何かなのか。**存在論と意味論との優位性の争い**は、そのような段階にまで達している。

ところで、二元論の砦として働いていたクオリア（逸脱する質）は、機能主義による関数的な意味（概念）によって回収されうるのだろうか？　あるいは情報主義による抽象的な情報体から導き出せるのだろうか？　あるいは、X（何か）としか言えない存在の水準（二重様相説あるいは中立一元論）と、クオリアはどのように関係しているのだろうか？クオリアの中でも特に、（表層・中層ではなく）深層へと深まりゆくクオリアは、この段階になってもまた、そのような問題として回帰してくる。

この章の最後に、そのようなクオリア問題の回帰に対して、私自身の予想を加える。さらに二重様相説あるいは中立一元論に対して、自説的な注釈を加えておく。

深まりゆくクオリア（感じ）に透かし見られる「概念把握を逸脱し続ける質的存在」は、「**形相なき純粋質料**（**マテリアル**）」へと降《くだ》っていく。この純粋質料（マテリアル）は、物理的な概念によって特徴づけられる「物質」ではないし、また情報空間にとっては外部性として働く。純粋質料（マテリアル）は、情報の内部からは導き出すことのできない「外部的な何か」として関わってくる。そのような仕方で、**クオリア＝マテリアル**は、機能主義あるいは関数主義に対しても、また情報主義あるいは情報実体論に対しても、〈抵抗〉〈ノイズ〉であり続けるだろう。その意味において、二元論は、クオリア＝マテリアルを通じて、生き残り続けるし、何度でも回帰してくる。二元論もまた、その他の見解によって葬り去られてしまうわけではない。**「質的存在」の抵抗性や外部性**においては、こんどは優位性が「**意味論∧認識論・存在論**」へと転換する。

このようにして、認識論・存在論・意味論の三者間の優位関係は、変転し続ける。重要なことは、五つの見解のどれが最終的な優位性を獲得するかではない。むしろ、「最終的な優位性」は存在しない。優位性をめぐる争いは終わらないこと、その終わらなさを貫いて、終わらないことを駆動し続けている〈力〉があること、これがもっとも重要である。その終わらせない〈力〉こそが、実は不可視の主役であり、本書の論述もまたその力を伝える媒体として働いている。

その点を考慮に入れて、しかも「情報実体論」あるいは「情報の二重様相説」という名称に引っかけて言うならば、私自身の見解は、「**力一元論**」「**力実体論**」「**力の多重様相説**」と呼ぶことができる。[15]「情報」は**差異そのもの**であるが、〈力〉はその差異を貫いて遍在的に働く。五つの見解を多重の様相として持つ〈力〉こそが、実体のポジションとして相応しい。その多重の様相のすべてを貫いて走る〈力〉が、あのXのポジション（何か）に代入されている。この見解は、「情報の二重様相説」ならぬ「**力の多重様相説**」、あるいは「**メタ化した中立一元論**」である。

第5章
死んだら無になるのか、それとも何かが残るのか？

†最初の場合分け

「死」というテーマ（本章を通じてテーマは「自分自身の死」である）を考察していくにあたって、第5章では何通りもの「場合分け」が使われることになる。「場合分け」をして、その一つ一つに寄り添って考えを進めたり、複数の場合分けのあいだでの比較を行ったり、その全体を眺めたりしながら、考察が進められる。その最初の場合分けにあたるものが、ネーゲルのテキストの最初のパラグラフに登場する。

誰もが死にますが、死とは何であるかについて、みんなの意見が一致しているわけではありません。ある人たちが信じているところでは、自分の肉体が死んだ後も、自分は残り続けて、天国か地獄かあるいはどこか他のところに行ったり、幽霊になったり、あるいは違った肉体に宿って、しかも、おそらくは人間でさえない肉体に宿って、この世に戻ってくるのです。また別の人たちが信じているところでは、【死んだら】自分は存在しなくなって、肉体の死とともに自己は消えて無くなるのです。死んだら存在しなくなると信じている人たちの中には、これは恐ろしい事実だと考える人もいれば、そんなことはないと考える人もいます。[1]

「場合分け」が二通り使われていて、しかもそれらが組み合わされている。一つ目の場合分けは、肉体が死んだ後に、自分・自己・自我と呼べるようなもの（第4章とのつながりで言えば「魂」）が残るのか、それともいっさいが消えて無になるのか、という場合分け（二分法）である。二つ目の場合分けは、いっさいが消えて無になる死の場合に、さらに場合分け（二分法）がなされていて、一つ目の選択肢は、いっさいが消えて無になること（死）が恐ろしいと感じる場合で、二つ目の選択肢は、いっさいが消えて無になること（死）は恐ろしくはないと感じる場合である。

{ 肉体の死後も魂は残る。
{ 肉体の死後は魂も残らない（無になる）。{ 無になることは恐ろしい。
{ 無になることは恐ろしくはない。

このような場合分けがなされているが、明らかに、二つ目の場合分け「恐ろしい／恐ろしくはない」は、もう片方にも適用できるので（上下の場合分けは、独立なので）、次のようになるはずである。

- 肉体の死後も魂は残る。
  - 魂が残ることは恐ろしい。
  - 魂が残ることは恐ろしくはない。
- 肉体の死後は魂も残らない（無になる）。
  - 無になることは恐ろしい。
  - 無になることは恐ろしくはない。

さらに、前者の「肉体の死後も魂は残る」という選択肢に関しては、魂が残ったうえで、その魂の行方《ゆくえ》について、三通りのパターンに分類されている。これもまた、「場合分け」である。

（1）あの世（天国・地獄・その他）へ魂が移動する「異界パターン」
（2）この世に魂が残り続ける「幽霊パターン」
（3）この世の別の身体に魂が移動する「輪廻転生パターン」

しかし、以下の議論にとって重要なのは、まとめの上段の二分法（死後の魂はあるか？ないか？）と下段の二分法（死後の無は恐ろしいか？恐ろしくはないか？）である。この二種類の二分法は、密接に繋がっているとはいえ、異なる問いなので、以下ではそれぞれに分けて、その順番で考察することにしたい。

その前にひとこと付け加えておくならば、肉体と魂という用語が出てきていることから、第4章の心身問題（心脳問題）との繋がりが予想される。実際、第4章の二元論vs物理主義の争点——肉体を含む「物理的なもの」の存在領域とは別個に「魂」の存在領域を認めるかどうか——は、「死後の無」という本章のテーマに直接関わってくる。この問題については、もう少し考察が進んでから、戻ってくることにしよう。

†死後の無は考えることができるか？

肉体の死後も魂は残るか、それとも肉体の死後は魂も残らない（無になる）のかについて、これから考察することになる。その後者の選択肢「死後は無である」を、〈不可能な選択肢〉であるとして退けようとする考え方がある。その検討から始めよう。

「死後は無である」を、**〈不可能な選択肢〉**であるとして退けるだって？　そんなことはできるわけがない。退けるどころか、たいていの人は、むしろ「死後は無である」を受け入れている。もう一つの選択肢「肉体の死後も魂は残る」のほうが、よほど信じがたく、そう信じる人など少数派なのではないか？

もっともな疑問であるが、もう少していねいに考えたほうがいいだろう。なぜ「死後は無である」は〈不可能な選択肢〉なのだろうか。そう考える根拠は何だろうか。あるいは、その不可能性とは、どのような不可能性なのだろうか。この点について、もう少し追いかけてみよう。

「肉体の死後は、魂（自分・自己・自我）はいっさい残ることなく、完全な無になる」という選択肢を選ぶ者は、「死後は無である」と考えたり・信じたりしていることになる。しかし、「死後は無である」と考えたり・信じたりすることは、ほんとうに可能なのであろうか？　ただ思考しているつもり、信じているつもりになっているだけで、ほんとうは「死後は無である」の「無」は思い浮かべることさえできないのではないか？　「死後は無である」が思い浮かべることさえできないのであれば、その選択肢は、そもそも選択肢として成立しないのではないか？　これが、〈不可能派〉の考え方である。

ということは、「無」を思考することはできないのか、それともできるのか、という点が分かれ目になってくる。〈不可能派〉は、「無」を思考することはできないと主張するが、どのような理由で「無」は思考不可能なのだろうか？　そこに問題点は絞られてくる。

「無」が思考不可能な理由を、〈不可能派〉は次のように呈示するだろう。

無が思考されているときには、思考している自分が存在してしまう（生きていることになる）。ゆえに、自分の死後の無を思考することはできていない。一方、思考する自分も無になり死後の無が実現されるときには、その無を思考する自分がそもそも存在しない。ゆえに、自分の死後の無を自分が思考することはできない。いずれにしても、**自分の死後の無を、自分で思考することは不可能である。**結局、死後の無を思考しようとしても、思考ができる場合には「死後の無」にならないし、死後の無になる場合には「思考ができない」。**〈不可能派〉**は、そのように考える。

〈不可能派〉のこの論法は、エピクロスの「死は私たちに害を与えることはできない（死は何でもない）」という主張と同型である。[2] エピクロスの主張は、こうである。

死は私たちにとって何でもない。私たちがいるときには死は存在しないし、死が存在するときには私たちはいないのだから。

エピクロスはここから、「死に煩わされる必要はない」「死は悪いものではない」という教訓（?）を導き出すが、いまここで注目しておきたいのは、教訓ではなく、**〈不可能派〉とエピクロス説の同型性**である。「私たちがいるときには死は存在しないし、死が存在するときには私たちはいないのだから」というエピクロスの理屈は、「自分が思考するときには死後の無にはならないし、死後の無であるときには自分の思考は存在しない」と言い換えてみれば明らかなように、両者は同型の考え方である。

さて、〈不可能派〉＝エピクロス説は、受け入れられるだろうか？ その理屈は理解できても、納得しがたいという感じが残る人も多いだろう。不可能だと言われても、「自分が死んで完全に無になる」ことは、思考できるように思われるし、エピクロスに反して、私たちは生きている（死は存在していない）ときにでも、いやそのときにこそ、死に煩わされ、死を害（悪いこと）として考えるのではないか？

ここで視点を変えて、すなわち、あの**ジグザグ運動**をここでも行って、〈不可能派〉＝エピクロス説に対して、反論をしてみよう。

〈不可能派〉＝エピクロス説は、時間における二つの考え方――**その時点では／他の時点から**――のうちの、一方のみに偏った使い方によって生じた「錯覚」である。二つの考え方を両方とも適切に使えば、その「錯覚」は解消する。すなわち、〈不可能派〉＝エピクロス説が述べている「死＝無は思考不可能である」は、「**その時点では**」という一種類の時間思考だけを使うことから発生する。〈不可能派〉＝エピクロス説は、「死んでいるその時点では、思考ができない」という極と、「思考しているその時点では、死んでいない（生きている）」という極、その二つの極の組み合わせからできている。この二回出てくる

「その時点では」を互いに孤立させて、両時点の関係を断っているから、ディレンマに陥るのである（どちらを選んでも〈不可能〉という結論になってしまう）。

しかし、二回出てくる「その時点では」は、時間の内では孤立しているわけではない。「その時点」を「**他の時点から**」考えることができる。「思考しているその時点」と「死んでいるその時点」は、時間の内で繋がっているので、一方の時点を他方の時点から考える・予想する・想像する……ことが可能である。二時点を繋げるならば、ある時点では死んで無になっていて、思考する自己も存在しないことを、別の時点から思考している自己が存在する（生きている）ことには、何の矛盾もない。「自分の死後の無を思考する」ことは、このように**二時点間の関係的な思考**によって、可能になる。

異なる時点どうしを切断して、それぞれの時点を無関係的に孤立させることが、**死後の無の思考不可能性**を導き、異なる時点どうしを関係させて、それぞれの時点を相互に連続させることが、**死後の無の思考可能性**を支えている。私たちは通常、後者の連続的・関係的な時間表象を使うことによって、死後の無について思考している。こうして、〈不可能派〉＝エピクロス説の主張は、退けられた。ということは、元に戻って、「肉体の死後は魂も残らない（無になる）」という選択肢、すなわち「死後は無である」の思考可能性は、確保できたことになる（そもそも「その時点では」を二回設定すること自体が、連続した時間を前提にしてしまうので、エピクロス的な「孤立」のほうこそが不可能である、とも言える）。

ここまで、**時点に内的な視点**と**時点に外的な視点**という区別を導入して、時点に外的な後者の視点によって、**死後の無の思考可能性**を確保した。もちろん、時点に内的な視点とは、ある時点にだけ留まって、その時点の内部のみで考えることであり、異なる時点どうしを切断して、それぞれの時点を無関係的に孤立させることに対応する。それに対して、時点に外的な視点とは、ある時点から外に出て別の時点からも（その時点のことを）考えることであり、異なる時点どうしを関係させて、それぞれの時点を相互に連続させることに対応している。次頁の図参照。

内的な視点であるか外的な視点であるかは、「時点」だけに限った話ではなく、別の意味での内的／外的の区別もある。その別の内的／外的の区別によってもまた、「死後は無である」を思考可能にすることができるし、〈不可能派〉＝エピクロス説を退けることができる。別の意味での内的／外的の区別とは、こんどは時点ではなく、人称的な区別——**本人に内的な視点**（一人称的な視点）と**本人に外的な視点**（三人称的な視点）——である。

たとえば、死んで無になった自分の葬式が行われている最中に、自分の葬式に自分が列席していると想像してみよう。〈不可能派〉＝エピクロス説ならば、列席することは、そうする自分は存在しないので不可能であると言うだろう。しかし、内的／外的の区別を使うならば、内的には不可能であっても、外的には可能になるはずである。

ただし、先ほどのように、時点に外的な視点によって（別の時点から）、自分の将来の葬式を想像するだけでは、不十分である。なぜならば、別の時点から想像しているだけになって、「葬式の最中に、自分の葬式に列席している」という**進行相**の想像にならないからである。

進行相の想像をするためには、どうすればよいのだろうか？

こんどは、時点的な区別ではなく、本人に内的な視点と本人に外的な視点の区別（人称的な区別）を利用すればよい。すなわち、現在生きている本人が、将来の自分の葬式に出ている最中の他者の視点によって、（＝本人に外的な視点から）、自分自身のまったく存在しない葬式を想像すればよい。他人の視点に憑依することによって、自分の葬式に自分（他人の視点を借りた自分）が列席中という**進行相**の想像も可能になる。**本人に外的な視点**（**他者の視点**）であると同時に、葬式の時点での視点という意味では、その**時点に内的な視点**も組み合わせて使っていることになる。二四六頁の図参照。

複数の時点間を関係づけたり移動したりする思考ができるこ

時点に（それぞれ）内的

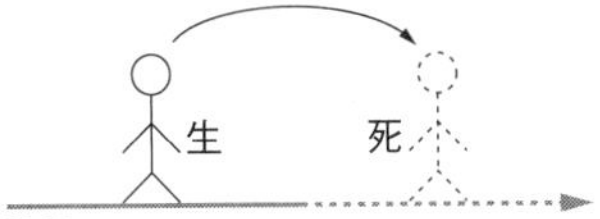

時点に外的

と、そして自分に内的な視点と自分に外的な視点を使い分け、さらに時点的に内／外の視点とも組み合わせて思考できることが、必要である。これらの内的／外的思考が複合的に可能であることと、「死後は無である」の思考可能性は、密接に結びついている。

たしかに、（時間的に／人称的に）外的な視点を採ることによって、死後の無についての思考可能性は確保できるし、それによって「死後は無である」という選択肢も成立することは分かった。しかし、そもそも、〈不可能派〉＝エピクロス説が言うように、無についての思考可能性がなければ、死後が無である可能性は選択肢として成立しないのだろうか。言い換えれば、「死後の無」について、それを思考できる可能性と、実際にそうである可能性は、それほど一体化している必要があるのか。思考可能性はないが実際にそうである可能性はある、というのでは、なぜだめなのか。

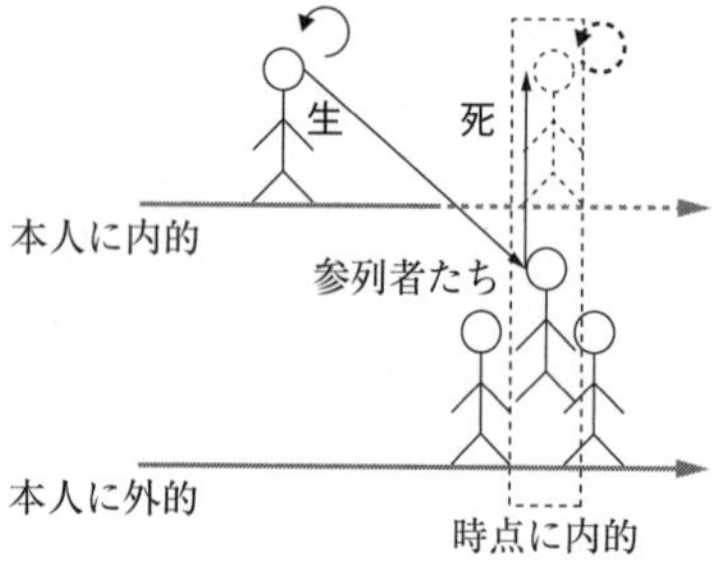

この**新たな疑義**は、外的な視点の考察によっては答えることができないし、〈不可能派〉＝エピクロス説に対する、より根本的な疑義になっている。先ほどまでの反論では、

内的な視点においては、〈不可能派〉＝エピクロス説を認めて譲歩したうえで、外的な視点を持ち出して反論していた。しかし、新たな疑義においては、内的な視点においては不可能であろうと、**そもそも視点とは無関係に、死後の無は可能であるという考え方**が、呈示されている。譲歩なき「卓袱《ちゃぶ》台《だい》返し」を、新たな疑義は行おうとしている。

この新たな疑義から読み取るべき点は、前章（第4章）でも扱った**認識の水準と存在の水準の「隔たり」**の問題である。〈不可能派〉＝エピクロス説が、両水準を一体化させているのに対して、両水準の断絶を求めているのが、新たな疑義を呈示する側である。「死後は無である」とは、「死後は無である」と思考可能なことであるというのが、両水準を一体化させる〈不可能派〉＝エピクロス説である。それに対して、「死後は無である」と思考することはできなくとも、思考の可能／不可能とは無関係に「死後は無である」は可能であると主張するのが、**新たな疑義を呈示する（両水準を切断する）側**である。「死後の無」に関しては、認識の水準と存在の水準の隔たりは、どうなっているのか？　二つの水準は一体であるのか、それとも決定的に乖離しているのか？　それが問題である。

その答えは、「死後の無」における「**無の深さ**」を、どの程度に見積もるかによって、変わってくる。つまり、一意的ではない。「ない」ことを何らかの仕方で認識して確認できる無は、深度が小さい。他方、まったく認識不可能で、「ない」と確認することもできない無は、深度が大きい。そのように、「無の深さ」を考えることができる。深度の小さい「無」は、何かの欠如として、すなわち存在の否定として捉えられる。それに対して、深度の大きい「無」は、欠如ですらなく、肯定も否定もしようがない「無」である。徹底的に「**ないない尽くし**」であるのが、**もっとも深度の大きい「無」**である。

本章のテーマである「死」は、「自分自身の死」であって、「親密な人の死」でも「遠い見知らぬ人の死」でもない。大ざっぱに言うと、死についての距離感の差異として〈自分自身の死――親密な人の死――遠い見知らぬ人の死〉という系列を考えることができる。その系列内の項に応じて、「死後の無」の深度の大きさは、〈大――中――小〉と変わる。テーマが「自分自身の死」なので、「死後の無」の深度を最大にして考えよ、と言われていると考えてよい。それゆえ、「死後の自分自身の無」については、認識の水準と存在の水準の隔たりを、なるべく大きく取って考えるのがよい。

ということは、「死後は無である」と思考できなくとも、「死後は無である」は可能であると考える側、すなわち**新たな疑義を呈示する側**が、有力な選択肢として浮かび上がる。もう一言つけ加えるならば、「思考することができなくとも」ではなく「思考することができないからこそ」と言うほうが、いっそうよい。「**ないない尽くし**」の「ない」の内には、「思考のできなさ」という「ない」も含まれる。「できない」ほうが、無が深まる。

外的な視点を加えて「無についての思考可能性」を確保して、選択肢の「死後の無」を救うという方向性ではなく、むしろ逆に、「無についての思考不可能性」に寄り添うことによってこそ、「死後の無」の無を深めるという方向性もあることが分かった。さらに、この方向性から振り返って、もう一度、**〈不可能派〉＝エピクロス説**を眺めてみると、彼らが言わんとしていたことが、まるで反転したかのように、**新たな疑義を呈示した側**の姿に重なるように回帰してくる。どういうことか？

〈不可能派〉＝エピクロス説に特徴的な「孤立した時点に内的な視点」は、たしかに、外的な視点を加える側から見るならば、「その時点に限定された閉じた視点」のように見えるだろう。だからこそ、外的な視点を導入して、閉じた内側を開こうとした。しかし、外的な視点を加える手前に留まるならば、「その時点での内的な視点」は、単にその時点でそうであることを、ただ単にそうであると見ているだけである。「内的な」と言われるのは、「外的な視点」からのみであって、「内的な視点」それ自身は、特に「内的」でも「外的」でもない。また、とくに孤立もせず、限定されもせず、閉じてもいない。

外的な視点を導入する「手前」に戻して、〈不可能派〉＝エピクロス説を眺めるならば、次のようになる（反転が生じる）。「死後の無は思考不可能だから、選択肢になりえない」のではなくて、「死後の無は思考不可能であり、他と並ぶ選択肢になりえないほどに、**な**

いない尽くしであり、**〈ない〉が深まっている**」のである。「無」が選択肢として退けられることと自体も、「無」の深まりに他ならない。このように、見え方が反転する。〈不可能派〉＝エピクロス説は、「死後の無」を選択肢として単に退けたのではない。むしろ、選択肢ではなくすことによって、「死後の無」を深めている。

始めは、**〈不可能派〉＝エピクロス説**は、認識と存在の両水準を一体化させるのに対して、それに**新たな疑義を呈示する側**は、両水準の断絶（認識と存在の乖離）を求めていた。つまり、一見、両者は対立するポジションにいた。しかし、ここまで見てきたように、「無の深まり」という基準で考えるならば、どちらの側も、もう一つの「外的な視点によって死後の無を思考する」派とはかけ離れていて、逆に、お互いはきわめて近いところにいる。「無の深まり」においては、**〈不可能派〉＝エピクロス説**と、それに**新たな疑義を呈示する側**は、むしろ仲間であるとさえ言える。

以上のように考えることによって、「死後の無は考えることができるのか?」という問いに対しては、こう答えることができる。考えることができようができまいが、「死後の無」は、ブラックホール的な問題の中心であり続ける。その点が、三つの見解の関係性を検討することによって、浮かび上がった。

1　〈不可能派〉＝エピクロス説
2　外的な視点を導入する見解
3　（1と2に対して）新たな疑義を呈示する見解

†二元論vs物理主義との関係

「肉体の死後も魂が残る」と「肉体の死後は魂も残らない（無である）」という二つの選択肢のうち、後者（死後の無）についての考察をここまで行ってきた。こんどは、前者（死後も魂が残る）についての考察に進んでみよう。

　すでに言及したように、「肉体の死後も魂が残る」という選択肢を、肯定するか否定するかは、第4章の二元論vs物理主義の争点――肉体を含む「物理的なもの」の存在領域とは別個に「魂」の存在領域を認めるかどうか――と関係がありそうに見える。おそらく、多くの人は次のように考えるのではないだろうか。魂の存在領域を、肉体を含む物理的なものとは別個に認める「二元論」は、死後の魂の存在を認め、死後の無を否定するだろう。他方、科学を信奉し、物理的なものの存在領域のみを認める「物理主義」は、死後の魂の存在を否定し、死後の無を肯定するだろう。このように、「死後も魂が残る」を肯定する側と否定する側を、二元論と物理主義に一対一に対応させるのではないだろうか。

しかし実際には、次のまとめの矢印のように、上下の一対一対応に加えて、斜めの関係も成立する。二元論であっても、死後の無を肯定できるし、物理主義であっても、魂（と呼ぶかどうかは別にして）肉体の死後にも残存する「何か」を肯定できる。その点まで含めて、考える必要がある。

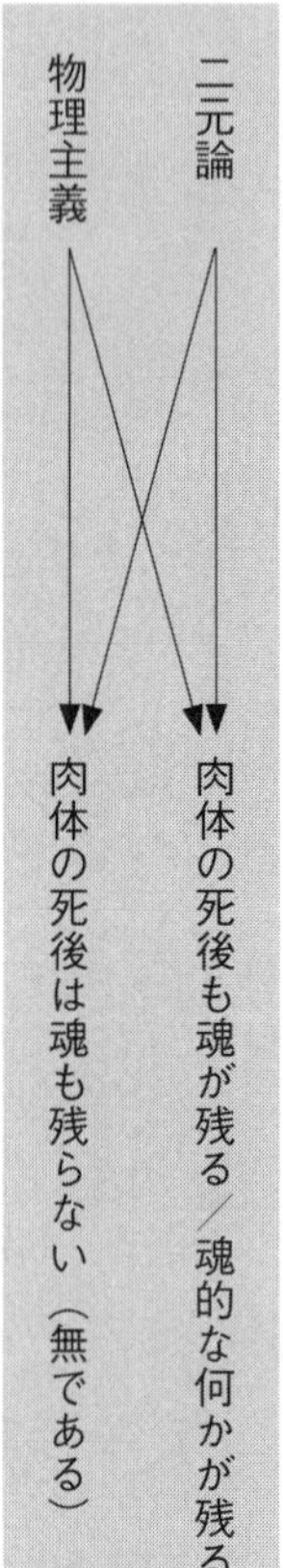

二元論（魂の存在領域とものの存在領域の二つを認める考え方）の内部で、細分化が生じる点についても、第4章で言及した。二つの存在領域（魂と肉体）の関係をどのように考えるかに応じて、いくつかに分かれることになる。
二元論の一つの極端は、**魂と肉体のあいだを無関係とする二元論**である。二元論のもう一方の極端は、魂と肉体の関係を最大化して、**魂の存在を肉体の存在に完全に依存させる二元論**である。さらに、その両極端のあいだには、**中間的な二元論**がある。魂と肉体とい

う対等な二つの存在領域のあいだに、何らかの関係（因果関係など）を想定するのが、中間的な二元論である。大ざっぱに言うと、この三種類の二元論に分けられる。

一方の極端である、魂の存在を肉体の存在に完全に依存させる二元論ならば、魂もまた肉体と運命を共にすると考えることができる。二元論であるから、魂の存在領域と肉体の存在領域が、二つ別個にあることは認めている。しかし、魂が存在するためには、肉体が存在していることが絶対に必要であると考えるならば（それほどに依存度が大きいならば）、当然のことながら、肉体が存在しなくなれば、魂も存在できなくなる。こうして、二元論を採っても、肉体の死後の魂を否定することは可能である。

他方の極端である、魂と肉体のあいだを無関係とする二元論では、肉体の存在と魂の存在は無関係なので、肉体が無くなっても、それに影響されることなく、魂は残ると考えることができる。しかし、それだけではない。肉体の存在と魂の存在は無関係であるということは、肉体なしの魂が存在できるだけでなく、魂なしの肉体も存在できるということである。つまり、肉体は生きていて存続していても、魂だけがその肉体から消滅していて無いということも、同時に可能になる。もちろん、肉体の死後、それとは無関係に魂も無いこともまた、可能である。肉体の存在と魂の存在は無関係なので、肉体のある／なしと魂のある／なしとは独立であって、2×2＝4通りの場合が考えられる。

1　肉体があって魂がある	3　肉体はあるが魂はない
2　肉体はないが魂がある	4　肉体もなく魂もない

結局、二元論と死後の魂のある／なしの関係性について、始めは「二元論は死後の魂の存在を肯定する」と単純に考えていたが、実際にはそうではないことが分かった。無関係的な二元論の場合には、肉体の死後の魂の存在の肯定／否定は、どちらも可能である。次のように、まとめておこう。

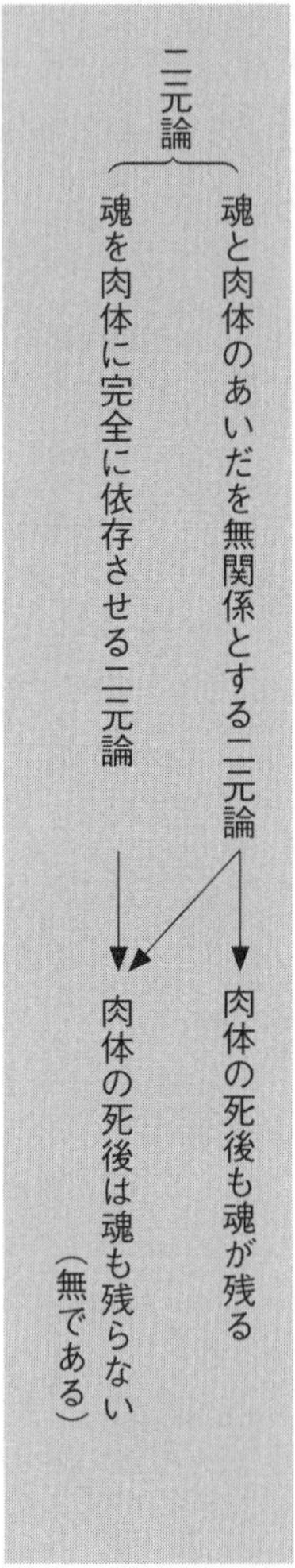

それでは、物理主義と「死後の魂（何か）の存在を肯定する／否定する」との関係は、どうなっているだろうか。二元論から物理主義へと視点を移して、考えてみよう。

物理主義についても、二元論の場合と同様のことが言える。一見、物理主義は、「肉体の死後も魂が残る」ことを否定して、「肉体の死後は無である」のほうを肯定するように思うかもしれない。しかし、事はそう単純ではない。物理主義であっても、実は、肯定／否定どちらの選択肢も選ぶことが可能である。肉体の死後に、肉体ではない何か（魂と呼ぶかどうかは別としても）が残ると考えることもできるし、肉体の死後には何も残らない（無である）と考えることもできる。どちらの可能性にも開かれている点で、物理主義も二元論と同様である。「二元論を採るか物理主義を採るか」の選択と、「肉体の死後の魂（的な何か）の存在を肯定する／否定する」の選択は、別の独立した問題である。

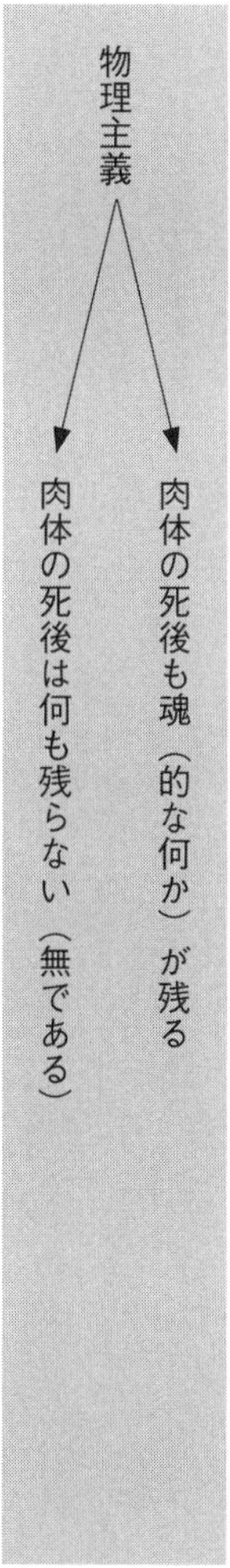

物理主義によれば、一人称的な心的活動（二元論だったら「魂」と呼ぶような特別な内面性）であっても、脳や身体の物理的過程である。一人称的な心的活動は、本人にそのように現れている認識であって、非物理的な存在領域ではない。心という認識現象は、物理的

な基盤という存在領域に決定的に依存しているので、脳や身体という物理的な基盤が無くなれば、心的活動も生じなくなる。つまり、肉体の死後に心的活動は存在しえない。このように、物理主義と死後の無を対応させることは、当然のことのように思われる。

しかし、事はそう単純ではない。物理主義を採用し、かつ脳や身体という物理的な基盤が無くなったとしても（肉体は死んでも）、心的な何か（魂的な何か）が残るという可能性が、少なくとも二種類考えられる。一つは「**蘇生あるいは復活**」という可能性であり、もう一つは「**関数的な関係性あるいは情報体**」という可能性である。

一つ目の「蘇生あるいは復活」は、脳や身体という物理的な基盤が、いったん無くなった後、すなわち死後に、科学的に高度な技術によって「生き返る」という可能性である。もちろん、現在の科学ではまだ不可能であるが、科学の進歩の先には、いったん死んだ肉体を適切な処置後に冷凍保存して、（脳の正確な活動も含めて）もう一度そっくり回復させることが可能になるかもしれない。ここでは、その想像可能性だけで十分である。

この「蘇生あるいは復活」の場合には、心的活動をもう一度行う可能性こそが、「魂（と二元論だったら呼ぶもの）」に相当する。その意味での「魂」ならば、物理主義も肯定することができる。

しかし、「**蘇生あるいは復活**」は、「肉体の死後も魂的な何かが残ること」とは、ずいぶんと違うのではないか。「肉体が蘇る（物理的な基盤が復活する）」と、「肉体なし（物理的な基盤なし）」では、むしろ正反対である。「いったん死んだ後に、もう一度同じ肉体を手に入れて生きること」と「肉体なしで魂的な何かだけで生きること」とは、別のことと言わざるを得ない。

「蘇生あるいは復活」には、もっと**根本的な問題**もある。それは、**同一性の問題**である。脳や身体については、まったく同一の素材で同一の機能を備えた（記憶や性格も完全に保持された）状態で、蘇生あるいは復活したとしよう。それでも、そいつが同じこの私であるかどうかが問題として残る。復活した人物が、記憶も性格も肉体もそっくりなコピー人間であって、この私ではないかもしれない。これが、別の**根本的な問題**である[3]。脳や身体の同一性の問題と、この私（魂）の同一性の問題はズレる可能性があって、肉体の復活は、ただちにこの私（魂）の復活になるわけではない。いや、話は逆である。二つの同一性がズレる可能性が、この私（魂）への気づきを可能にしている。それゆえ、たとえ物理主義的に蘇生あるいは復活が可能であるとしても、二元論的な魂（この私のこれしかなさ）までが可能になるわけではない。

それでは、二つ目の「**関数的な関係性あるいは情報体**」とは、どのような選択肢だろうか。ここで、第4章の**機能主義**、さらに**情報主義**（**情報実体論**）を思い出してもらいたい。

機能主義は、脳状態という物理的過程を、それを取り巻くネットワーク（因果関係・文脈・状況など）の内に埋め込む。そうやって、機能主義は物理主義を拡張した。そのネットワーク全体によって可能になる関数的な関係性が、物理的過程に対して、心的状態としての「意味（概念）」を与えるのであった。

物理主義を拡張した機能主義を受け入れるならば、肉体の死後にも、（二元論的な魂ではないとしても）魂的な何かが残ると言えるように思われる。どのように考えたら、そう言えるのか？

ネットワーク全体として成り立っている関係性に注目するならば、その網目の中の一結節点がたとえ消滅したとしても、それだけでネットワーク全体が一挙に崩れ去るわけではない。たとえば、私の心的状態を構成するネットワーク全体の中から、私の脳と身体が消滅したとしても（私が肉体的に死んでも）、それだけでネットワーク全体の関係性が消え去るわけではない。ネットワーク全体の関係性は、脳や身体以外の物質や情報（私の著作物や私に関する他人の記憶等々）にも支えられているので、私の肉体の死後も、部分的に欠損（＝私の脳や身体の欠如）を含みつつも、すなわちネットワークは部分的に壊れていきながらも、ネットワーク全体としては、少なくともしばらくは残存し続ける。次頁の図参照。黒丸→白丸が、部分的な欠損を表す。

このように、物理主義を機能主義へと拡張するならば、二元論的な魂ではないとしても、魂的な何か――心的なネットワーク全体の関係性――が、肉体の死後も残る。そのように考えることができる。

この機能主義の更なる先を行くのが、**情報主義（情報実体論）**である。機能主義のネットワークの場合には、関数的な関係性こそが主体であって、その関係性は物理的な基盤からは、ある程度は独立である（どのような物質によってその関係性が実現されるのかは問われない）。しかしそれでも、上の図で言えば、ネットワークを構成している黒丸や線が、特定の物質によって実現されているように、関係性のネットワークが物理的な基盤を持つことに変わりはない。その程度には、機能主義は、物理主義を引きずってはいる。

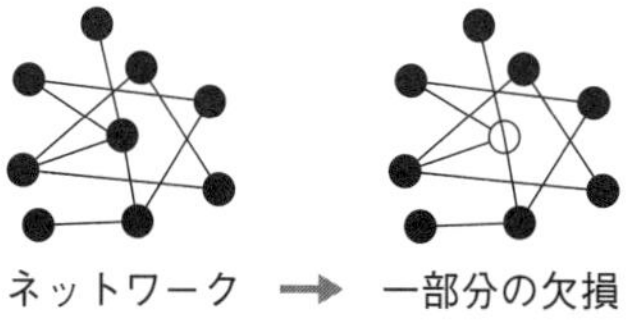

しかし、情報主義（情報実体論）になると、物理主義からはもっと離れる。というのも、情報主義（情報実体論）における「情報」は、**中立一元論**の実体のポジションに位置づけられているからである。上の図のような関係性のネットワークは、もう実体ではなくなって、様相（様態・属性）のポジションへと転落する。それらの様相（様態・属性）を、自らの具現化（物理的な基盤上への実現）として含む、より抽象的な実体

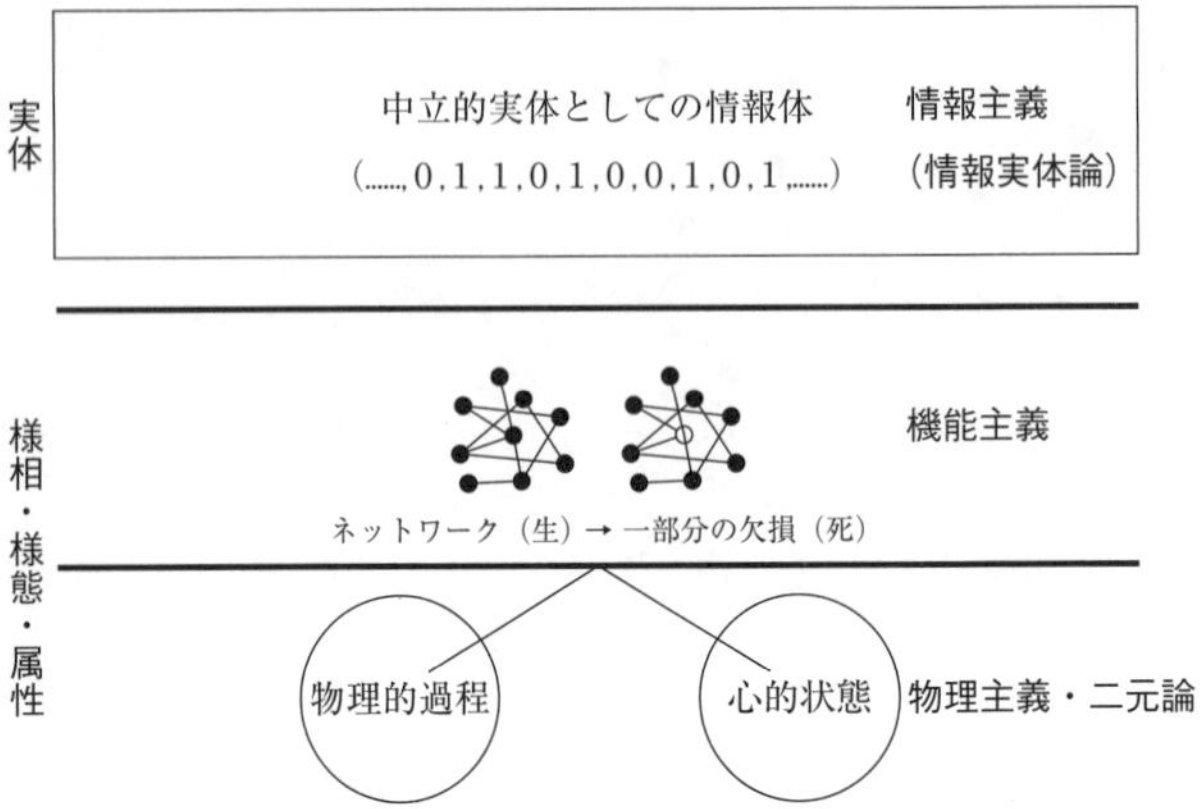

が情報体である。物理的な基盤も関係性のネットワークも、あるいはネットワークが可能にする心的状態も、全てがその実体の様相・様態・属性である。上の図参照。

実体のポジションに据わった情報体は、まるで「魂」のようである(**魂としての情報体**)。もちろん、二元論的な魂(この私のこれしかなさ)とは異なる別種の「魂」であるけれども。それでも、この抽象的な実体は、肉体の生死に左右されることがない。それどころか、肉体の生死という差異自体を、情報の一部分として自らの内に含んでおり、実体としての情報体は、生死を超えた永遠の次元にある。その意味での、魂らしさを備えている。

機能主義のネットワークにおいては、私の肉体の死は、ネットワークの部分的な欠損であった

（黒丸→白丸で表象した）。しかし、**魂としての情報体**においては、私の肉体の死は何ら欠如ではない。むしろ、黒丸（1）／白丸（0）の差異、すなわち生／死の差異は、それ自体が情報体の肯定的な部分（**差異という肯定**）である。

前節での「**死後の無**」についての考察は、内的／外的な視点との関係・無関係を媒介にして深められた。それと同様に、本節での「**死後の魂**」についての考察は、二元論vs物理主義（とその発展形）との関係・無関係を媒介にして深められた。

†「である」と「になる」、あるいは時間の問題

その「死後の無」の考察において、時間における二つの考え方――その時点では／他の時点から――を利用した。この二つは、時間を、**時点間切断的**に考えるか、**時点間連続的**に考えるか、その違いであった。その二つ（無関係的と関係的）は、どちらも時間にとって必須の考え方であるが、同時に、根深い対立にも繋がるやっかいな二つでもある[4]。

これまで、「（死後に）無になる」という言い方と「（死後は）無である」という言い方を、特に区別せずに使用してきた。しかし、「肉体が消滅した後に、無になる」と言えるためには、生前の「存在」と死後の「無」が、何らかの仕方で連続していなければならない。連続していなければ、「になる」が意味を持ち得ない。生きている時点と死んだ後の時点

が、時点間連続的な仕方で繋がっていなければならない。

他方、「肉体が消滅した後は、無である」の場合には、特にその「無」が「深まった無」である場合には、無の内から外への連絡はいっさい無い（もちろん、外から内への連絡も無い）。無いからこそ、無が深まる。「その時点では」を時点切断的に・時点孤立的に考える方向性は、このような「無関係的に無である」ことを志向する。

「無になる」ことは時間的に関係することであり、「無である」ことは時間的に無関係であることである。互いに根本的に対立している。にもかかわらず、その関係と無関係が関係することによって、無関係的な関係が成立する。すなわち、無であることになる。いっさい外と無関係である無に対して、それになるという仕方で外から関係する。

「死後の無」「肉体が死んだ後は、魂も残らず無になる」は、このような**関係と無関係の捻れを含んだ時間**なのである。それは、**「非リニアな時間」の問題**である。それに対して、その逆の「死後の魂」「肉体の死後も、魂が残る」の場合には、「魂」を次のどちらの方向性で考えるとしても、**非時間的な存在**である。「魂」を二元論的な存在領域（その純化版のこの私のこれしかなさ）として考える場合であっても、また「魂」を中立一元論的な実体（抽象的な情報体や、遍在的な力の働き）として考える場合であっても、どちらの「魂」も非時間的な存在である。いずれにしても（**捻れを含んだ時間**にしても、**非時間的な存在**にしても)、死後の問題(無や魂)は、通常の線状的な時間表象の上に乗せて論じることはできない。そういう時間論的な側面が、浮かび上がった。

†証拠の問題と三つの選択肢

「肉体の死後に魂は残るのか」という問いに答えようとして、証拠(evidence)という考え方に訴えようとする人たちがいるだろう。物理主義ほど徹底したものではないとしても、多くの現代人は科学を信頼しているし、科学的な思考のポイントの一つとして、証拠(evidence)を示すという方法が含まれている。そこで、「死後の魂が存在する」ことの証拠はあるのか? 証拠がなければ、存在するとは言えないのではないか? と考えるのは自然であろう。

ここで求められているのは、科学的な(少なくとも科学に反することのない)証拠だろうから、超常現象や心霊現象のようなものは証拠としては採用されない。そのように限定的に「証拠」を考えるならば、私たちは「死後の魂が存在する」ことを示す証拠を持っていない。「魂が存在する」という証拠はないと言っていいだろう。

しかし、証拠がないことが、問題を解決する(終了させる)わけでない。むしろ、そこから(も)問題が始まる。まず、(a)「死後の魂が存在するという証拠はない」と(b)「死後の魂は存在しないという証拠がある」とは違うことであり、(a)は(b)に直結しない。(a)だからといって、(b)とは言えない。そのうえで、次の三つの選択肢を考えることができる。

1 「存在する証拠はない」ことは、「存在しない」と信じることの根拠になる。
2 「存在するとも、存在しないとも、どちらとも言えない」に留まる。
3 「存在する証拠がない」としても、いやないからこそ、「存在する」と信じる。

1は、肯定の証拠がないことに基づいて、否定を信じることを正当化している。この正当化が受け入れられるのは、肯定側に挙証責任があるのか、否定側に挙証責任があるのかについて、もともと非対称性がある場合である。ここでは明らかに、魂の存在を肯定する側に証拠を挙げる責任があると思われている。いわば、デフォルトが「魂は存在しない」のほうになっている。しかし、その非対称的な在り方をしているデフォルトは、ほんとうにそれでいいのか？という疑問は残る。

2は、その非対称的なデフォルトに対して、敏感である。だからこそ、中立的な態度を取ろうとしている。肯定の証拠がないことから、否定することへは進まずに、一歩手前に留まっている。しかし、「（肯定も否定も）証拠がない」から留まっているだけで、その構えの裏側には、「（肯定あるいは否定の）証拠がある」ならば、当然その証拠に基づいて「肯定あるいは否定をする」が控えている。その点で、「証拠」への信頼自体は揺らいでいない。

3は、「**不合理ゆえにわれ信ず**（credo quia absurdum）」を彷彿《ほうふつ》とさせる信念である。「証拠があるから信じる」ならば、ごくふつうの日常的なあるいは科学的な信念であるが、「魂の存在」は、その種の信念には馴染まない。信念の異種性を強調しようとして、「ないとしても」から更に一歩踏み出して、「ないからこそ」へと進む。しかし、逆接的であるということは、「証拠」を意識しているのであり、「証拠」の力は、3でも健在である。

私自身は、この三つの選択肢のどれも採らない。なぜならば、そもそも「魂か無か」という問題は、「証拠」の問題とは無関係だと考えているからである。1〜3の選択肢はどれも、（反発や慎重さを含めて）「証拠」を気にしていることに変わりはない。しかし私のほうは、「魂か無か」の問題は、「証拠」がそもそも効力を持たないタイプの問題であると考えている。したがって、1〜3のどの選択肢も採用しない。「魂か無か」の問題がそういうタイプの問題であることは、これまでの考察からも十分に覗《うかが》えるだろう。

一つだけ、時間に関わる論点を再確認しておこう。

日常的なものであれ、科学的なものであれ、「証拠」は通常の線状的な時間の上に位置づけられる。すなわち、証拠は日付を持つことができる。しかし、「魂」の問題にしても、「無」の問題にしても、どちらも線状的な時間の上には位置づけることができない。そういう問題である。言い換えれば、「魂」も「無」も、(時間軸上に確定した位置を持つ)事実に関わる問題ではない。「魂」は非時間的な存在であるので、それに対して、時間的な存在としての「証拠」は効力を発揮できない。「死後の無の深まり」は捻れた時間を作り出すので、一次元的な素直な時間とその内で働く「証拠」では、その捻れに対処できない。いずれにしても、「魂か無か」の問題に対しては、「証拠」に訴えても上手くいかない。

ここまで追いかけてきた問題は、最初の「場合分け」に戻るならば、第一の二分法による問題である。第一の二分法は、死後を「何か(魂)が残る」場合と「何も残らない(無である)」場合の二つに分けて問うていた。第一の問題は、死後についての**存在論的な問題**である。

第二の二分法による問題が、まだ残っている。最初の「場合分け」の第二の二分法では、「恐ろしい/恐ろしくはない」が採り上げられていた。しかし、恐怖は一例である。恐れ・不安・喜び・善悪……など、さまざまな感情や価値評価が、「死後の無」や「死後の魂」に対して向けられる。**死に対する態度の問題**(死に対する感情や価値評価など)が、これから問われることになる。こちらは、**価値論的な問題**である。

†死に対する価値論的な問題

自分自身の死についての問題は、ここで、前半の存在論的な問題から、後半の価値論的な問題へと転回するが、ネーゲルのテキストでは、次のように述べられている。

> 問題のもう一つの部分へと向かいましょう。それは、私たちは死についてどのように感じるべきなのかという問題です。死はよいことでしょうか、悪いことでしょうか、あるいはニュートラルなものでしょうか。私が話しているのは、自分自身の死についてどのように感じるのが理に適っているのかということであって、他人の死については、自分自身の死ほど話題にしていません。これから自分は死ぬという見込みに対して、恐れ、悲しみ、無関心、あるいは安堵の、どの態度で向かうべきなのでしょうか⑤。

この引用箇所で確認しておくとよいのは、「べき」の意味である。この「べき」は、義務を表す「べき」ではなくて、**感情の論理あるいは文法**を表すための「べき」である。「どのように感じるのが理に適っているのか」が、その感情の論理あるいは文法のことを表している。

「どのように感じるのか」という問いに対しては、特定の感情に至るそれなりの理路・理屈があることに注意したい。でたらめに感情を抱くのでもないし、単に人それぞれでもない。その「**論理あるいは文法**」の部分が、哲学的な考察のターゲットになる。

感情あるいは感情的な態度には、それなりの「論理あるいは文法」があるからこそ、次のように（大ざっぱに三種類に）分類することも可能になる。1 **よい（＋）という価値判断と結びついた感情**、2 **悪い（－）という価値判断と結びついた感情**、3 **そのどちらでもない（0）という価値判断と結びついた感情**の三種類である。「安堵」は1の例であり、「恐れ」や「悲しみ」は2の例であり、「無関心（indifference）」は3の例である。

1 よい（＋）の価値判断を伴う感情	例：安堵
2 悪い（－）の価値判断を伴う感情	例：恐れ・悲しみ
3 ニュートラル（0）で＋－のどちらでもない	例：無関心

この三分類と、「死後の魂か死後の無か」という二分法を、組み合わせて考えてみよう。比較的考えやすいのは、肉体の死後にも「魂」が残ると考える場合である。そのような

「死後にも魂が残存する死」に対して、その死は、よい（＋）か悪い（－）かニュートラル（0）かと問うてみよう。その答えがどうなるかは、死後の魂が、どういう状況になるのかに応じて異なるだろう。この章の冒頭でも、魂の行き先については、三通り考えた。

（1）あの世（天国・地獄・その他）へ魂が移動する「異界パターン」
（2）この世に魂が残り続ける「幽霊パターン」
（3）この世の別の身体に魂が移動する「輪廻転生パターン」

「死後に魂が残る」ことを、＋と見なすか－と見なすか、それともニュートラルに捉えるかの選択には、魂の行き先が天国か地獄か、幽霊として彷徨《さまよ》い続けるのか、他の肉体に入ってもう一度生きるのか等々の違いが影響してくるだろう。そこで紡ぎ出される「ストーリー」は、分かりやすいものになるはずである。たとえば「魂が地獄に行って、責め苛まれることが恐ろしい」のように、通常の価値観が反映されるだけである。そこには特に哲学的な「謎」はない。せいぜい、「魂が天国よりも地獄に行く方が、退屈しないで済む。だから天国へ行くよりも地獄へ行ったほうが、＋と感じられる」のように、少しだけ通常の価値観から逸脱した変則的なものになる程度であろう。そのような逸脱まで含めて、分かりやすさの範囲内にある。むしろ、「死後の魂」を、分かりやすい「ストーリー」の中には組み込まず（脱ストーリー化して）、価値判断からも無縁になって遠ざかるほうが、二元論的あるいは情報実体論的な「魂」の姿には、相応しい。

哲学的に興味深いのは、むしろ「肉体の死後には何も残らない（無である）」という選択肢を選んだ場合である。もし「死後は無である」としたら、その「無である」ことに対して、私たちは、「どのように感じるのが理に適っている」のだろうか。その論理あるいは文法は、どのようなものになるのだろうか。ここからは、**死後の無に対する態度**について、その理路が問われることになる。

死後の無に対する態度

死後の「無」に対して、どのような態度をとるか（どのような価値判断をするか）を考えるためにも、すでに利用した、「**時点に内的な視点**」と「**時点に外的な視点**」の区別を利用することができる。その視点の区別（内的か外的か）と、「無」をよい（＋）と考えるか、悪い（－）と考えるか、あるいはどちらでもない（0）かの三区分は、次のような対応関係がある。

1 死後の無はよい（＋）――生きている時点から**外的**に考える
2 死後の無は悪い（－）――生きている時点から**外的**に考える
3 死後の無はどちらでもない（0）――無である時点に**内的**に考える

無それ自体には、よい（＋）も悪い（－）もない。というのも、よい悪いの評価対象がまったくないからこそ「無」であるし、よい悪いを評価する主体もまったくいないからこそ「無」であるのだから。そのように無それ自体を考えるときには、無である時点に内的に考えている。これが、3に相当する。

それに対して、「無」であるにもかかわらず、よい（＋）であったり、悪い（－）であったりの評価ができるのは、なぜだろうか？ 無である時点（死んだ後）を、無になる前の時点（生きているとき）と関係させて、連続的に考えているからである。その関係のさせ方に二種類ある。

1 生きているときに、苦痛（－）がたくさんある生である場合には、あるいは生自体が苦痛（－）である場合には、その苦痛（－）が死んで無くなることは、悪いこと（－）が無くなるという意味で――**欠如的な**（negative）**意味で**――よいこと（＋）である。

2　生きているときに、快楽（＋）がたくさんある生である場合には、あるいは生自体が快楽（＋）である場合には、その快楽（＋）が死んで無くなることは、よいこと（＋）が無くなるという意味で――**欠如的な**（negative）**意味で**――悪いこと（－）である。

どちらの考え方も、生きている時点と死んで無になっている時点を繋げて、連続的に考えている。だからこそ、価値評価（＋や－）が可能になっている。そのうえで、悪い（－）が無くなるからよい（＋）場合の1と、よい（＋）が無くなるから悪い（－）場合の2を分けて考えている。どちらも、「無くなる」に表現されているように、時点間連続的な考え方を使っている。

それに対して、先ほどの3だけは、時点間切断的な考え方を使う。死後の無の時点のみに焦点を合わせて、まさにその時点では、よい（＋）悪い（－）を被る死者など存在しない（無である）し、よい（＋）悪い（－）の評価対象になる出来事も存在しない（無である）。それゆえ、その時点での無それ自体は、欠如的な意味での評価は使えないし、かといって、無それ自体は端的な＋や－でもありえない。[6] 死後の無にのみ目を向けるならば、その無は価値中立的（価値無記）であると言わざるを得ない。

自分自身の死後の無に対する態度は、基本的には三つに場合分けされた。１死んで無になることは、生きている時の－を無くしてくれるから＋である。２死んで無になることは、生きている時の＋を奪ってしまうから－である。３死んで無であることは、当の＋や－の価値を被る人が存在しないので、＋でも－でもない。この三つである。

反実仮想と人称の複層

この三つの場合分けは、死後の無に対して**価値付与を認めるグループ１＋２**と**価値付与を認めない（価値無記である）３**とに、大きく二分される。**３の価値無記派**は、グループ１＋２に向かって、こう言うだろう。

死んで無になった人には、痛みを与えることも快楽を与えることもできない。つまり、端的な－も端的な＋も与えることはできない。それを被る人・享受する人がいないのだから。同様に、痛み（端的な－）を取り除いて痛みが無くなること（欠如的な＋）も、快楽（端的な＋）を奪って快楽が無くなること（欠如的な－）も、どちらもその欠如的な価値を享受する人・被る人が存在しない。＋であれ－であれ、端的であれ欠如的であれ、価値が可能であるためには、それを被る人が存在していなければならない。しかし、死んで無であること（存在しないこと）は、その条件に反している。ゆえに、「無」は＋でも－でもない（価値無記である）。

この主張に対して、グループ1＋2は、新たな考え方も加えながら、次のように反論する。こちらは、ネーゲルのテキストから、その反論に相当する箇所を引用しよう。

> （……）かつては存在したけれど今は存在しない人が、死によって利益を得たとか害を受けた、と私たちは言うことができます。たとえば、（……）【以下、火事になったビルの中に閉じ込められて、そのままだと苦しみながら焼死することになった人が、実際には落石によって即死したため、苦しまずに済んだ、という例が語られる。】彼はその欠如的な善【苦しまずに済んだこと】を享受するために存在することはできませんが、だからと言って、その欠如的な善が、彼にとってまったく善ではない、ということにはなりません。というのも、「彼にとって」と言った際の「彼」とは、かつては生きていた人で、もし落石で死ななかったとしたら、苦しんでいたであろう、その人のことを表しているからです。

（……）私たちが知っている誰かが死んだとき、私たち自身にとってだけではなく、彼にとっても残念なことだと、私たちは感じます。なぜならば、彼はもう今日の太陽の輝きを見ることも、トースターの中のパンの香りを嗅ぐこともできないからです[7]。

グループ1＋2の側からの反論なので、**時点間連続的**に考えている点は当然としても、それ以外に新たな考え方を加えている。次の三点に集約される。

1　「私たちは言うことができる」という**言語的最外枠の観点**が使われている。

2　時点間の連続性が、**反実仮想**へと拡大して使われている。

3　一人称と三人称が入れ子になった**人称の複層**が使われている。

1は後回しにしておいて、2と3から確認しよう。まず、2の**反実仮想**から。「かつては存在したけれど今は存在しない人」には、二時点間の連続性が使われているが、それに加えて、「もし落石で死ななかったとしたら、苦しんでいたであろう、その人」の内には、もう一つ別の（現実に反する）仮想された二時点間の連続性が使われている。次頁の図参照。しかも、二つの時間系列における「その人」は同一の彼である。**反実仮想の**

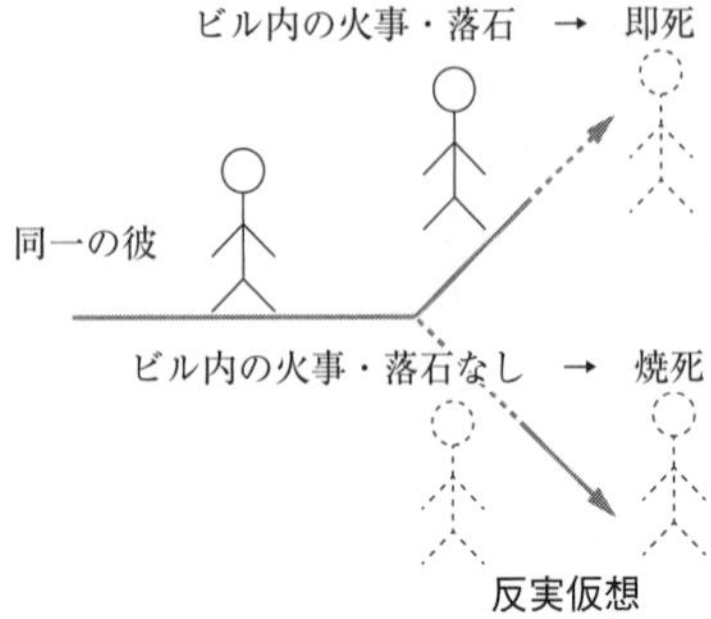

時間系列との比較によって、「−（火の中での苦痛）がなかったという意味で、欠如的な＋（苦痛の少なさ）」を考えることができる。反実仮想の導入は、「死後の無」とは異なる別種の「無」（現実にはそうではなかったという無）を導入していて、「無」が増えているとも言える。

次に、**人称の複層**である。まず、「私たち自身にとっての私たち」と「私たちにとっての彼」と「彼自身にとっての彼」の三つを区別できる。

そもそも「自分自身の死」がテーマなので、「**私たち自身にとっての私たちの死**」、すなわち**一人称的な死**が問われていた。しかし、引用したテキストの例では、ビルに閉じ込められる「彼」という**三人称の人物の死**がテーマである。私たち（一人称）の死から、彼（三人称）の死へと、テーマが移動している。

私たち（一人称）の死と彼（三人称）の死の違いは、あまりにも大きい。それでも、彼の死を問題にしているのは、彼ではなくて、私たちである。つまり、一人称と三人称は断絶しながらも、「断絶的な三人称へと向かう一人称」という仕方で、**断絶込みの関係**を取り結んでいる。その関係の入り口が、「**私たち自身にとっての彼の死**」である。たとえば、彼の死に際して「惜しい人を亡くした。彼の代わりができる人はいない」と言う場合には、「私たち自身にとっての彼の死」が問題になっている。彼の死によって生じた欠如が、私たち（たとえば仕事仲間）の有用性の文脈の下に位置づけられている。

関係の入り口から奥（断絶性）へと進むと、「私たち自身にとっての彼の死」と「**彼自身にとっての彼の死**」の違いに出会う。引用文の中でも、その違いが意識されている。引用文中の「私たち自身にとってだけではなく、彼にとっても残念なこと」とは、「私たちにとってではなく、彼自身にとって残念なことである」を表している。その残念さは、私たち（たとえば仕事仲間）の有用性の文脈の内にはない。むしろ、その文脈から遠い（私たちの有用性の文脈の内ではない）ことを、引用文中の「彼はもう今日の太陽の輝きを見ることも、トースターの中のパンの香りを嗅ぐこともできない」が表している。

「彼自身にとっての彼の死」においては、**「彼」という三人称の中に、「自分自身」という一人称性が埋め込まれている**。いわば、「私たち自身にとっての彼の死」の「自身にとって」の再帰性が、三人称の「彼」の方へと移植されることによって、**三人称内部の一人称性**が生まれている。三人称内部の一人称性こそが、私たちからの断絶性である。

それでも、彼にその一人称性を内属させているのは、「私たち」である。つまり、私たち自身にとって彼の死が残念であるのとは違う仕方で、彼自身にとって彼の死が残念であることを、当の私たち自身がそう捉えている。三人称性とは異なる一人称性が、三人称性の内に埋め込まれていることを、一人称性の内で捉えている。これが、**人称の複層**である。

この人称の複層の一番外側で働いているのが、「私たち」という一人称性である。「私たち」は三回登場している。一回目は、「私たち自身の死」の「私たち」として。二回目は、「彼にとって」と区別された「私たちにとって」の「私たち」として。三回目は、三人称に対して、私たちの一人称性とは異なる一人称性を埋め込む「私たち」として。「私たち」は、オブジェクトレベルとメタレベルの両方で、繰り返し登場している。(8)

後回しにした1に戻っておこう。「私たちは言うことができる」という**言語的最外枠の観点**が使われているが、その「私たち」とは、一番外側で働いている三回目の「私たち」である。「私たちは言うことができる」とは、「私たち」という一番外側の一人称性の下でしか言語表現はなされない、ということに等しい。ただし、そのメタレベル（一番外側）の内部においては、一人称が三人称と対峙しつつ（オブジェクトレベルに転落しつつ）、その三人称の内部に、さらに自らの**一人称性**（**最外枠であること**）を、埋め込み続ける。そういう複層的な運動の全体が、「私たちは言うことができる」である。三人称的な死後の無に対する価値判断もまた、そのような「私たち」の運動の下で行われている。「私たちは言うことができる」は、第2章で検証主義が提示していた「最終審級（認識可能性）」の、言語行為バージョンだと考えることもできる。

人称における（一人称と三人称の）複層に類似した構造は、時点における内的な視点と外的な視点の入れ子構造にも見られた。ある時点に内的な視点をとって、その時点を孤立的に捉えることと、ある時点を別の時点から外的な視点を向けて、両時点を連続的に捉えること、この両視点（内的な視点と外的な視点）は、単純に対立しているだけではなかった。「無関係（切断）と関係（連続）」という単純な対立ではなくて、**「無関係という関係」として複層化した。**すなわち、まさにこの時点であることの隔絶性自体が、複数の時点に受け渡されて、各時点どうしが連続する。連続的な時間に、隔絶された時点が埋め込まれている。この事態は、一人称性が三人称の内に埋め込まれる事態と同型である。これらの同型性を使いこなすことによって、死後の無に対する価値判断は行われていた。

†端的な無の恐怖

人称や時間（時点）のシステムは、私たち自身の死後の無と彼自身の死後の無を、何とかして互いに関係させながら、そのシステムの内に馴致《じゅんち》しようとする。その馴致は、価値判断（端的な＋－／欠如的な＋－）とも密接に結びついていた。

もちろん、その馴致に抗うかのように、**価値無記派**がいた。価値無記派は、死んで無であるその時点にのみ視線を集中させる。その時点での無自体には、「何かが無になる」という時点間の連続性は禁じられているので、欠如的な＋でも欠如的な－でもありえない。価値無記派は、そう主張した。

では、価値無記派ならば、（欠如的なほうではなく）**端的なほうの価値**（＋－）については、どう言うべきだろうか。まず、理屈としては、次のように考えることができる。

端的な＋の典型例は快楽であり、端的な－の典型例は苦痛である。「端的な」とは、「欠如」「否定」を経由することなく、ただそうであるというだけで（ただ快適である・ただ苦痛であるだけで）＋であったり、－であったりすることである。いわば、原初的な価値状態である。ところが、端的な無の場合には、快楽も苦痛もなく、**原初的な価値状態**がそもそもない。それらも無いからこそ、端的な無なのである。ゆえに、端的な価値としても、端的な無は、＋でも－でもなくニュートラル（価値無記）である。

しかし、端的な無としての私の死は、ほんとうに価値的にニュートラルなものだろうか。価値無記派の理屈によればニュートラルであるが、納得しがたいのではないだろうか。多くの人にとって、端的な無としての死は、むしろ「恐ろしい」のではないだろうか。しかも、「……だから恐ろしい」のではなく、「訳もわからず、なぜだか恐ろしい」のではないだろうか。要するに、理屈なしに恐ろしいのが、私の死（無）である。**端的な無の恐ろしさは、「謎」である。**

本章の後半で扱っている**価値論的な問題**は、「べき」という**感情の論理あるいは文法**を問うていた。しかしながら、「端的な無としての私の死」には、その論理あるいは文法が、空転して役に立たなくなる。

✝未生の無と死後の無

「死後の無」は、そこに恐れるべき対象などないのに（いや全く何もないからこそ）恐ろしい。それは、感情の論理・文法がうまく届かない仕方で恐ろしい、ということである。こうして、**「死後の無」**の恐ろしさ自体が、すでに「謎」であるが、ここにもう一つ新たな「謎」が加わる。それが、**「未生の無」**である。ネーゲルのテキストから引用しよう。

（……）私たちはみな、自分が生まれる前の、まだ存在していない時があったという事実を、受け入れています。そうであれば、なぜ私たちは、死んだ後に存在しなくなるという見込みに、そんなに心を乱さなくてはいけないのでしょうか。しかし、どういうわけか、未生の無と死後の無が同じだとは感じられません。生まれる前に存在しなかったことが恐ろしいとはならないのに、存在しなくなる見込みのほうは、少なくとも多くの人にとっては、恐ろしいのです。[9]

「死後の無」の恐ろしさが、特別な恐ろしさであるのは、強烈な痛みを与えられるからでもないし、重要な何かを失うからでもない。強烈な痛みを与えられることは、たしかに端的に恐いことであろうが、強烈な痛みを感じること（端的な－）は、生きていないと起こらない。また、重要な何かを失うことは、たしかに怖いことであろうが、「何かを失う」とは「あったもの」が「無になる」こと（欠如的な無）であり、欠如的な－（負の価値）である。だから、それを恐れることは理に適っている。しかし、「無である」ことは、欠如的な無ではなくて、端的な無である。端的な無を恐れることは、その理路が分からない。それにもかかわらず恐ろしいからこそ、特別な恐ろしさなのである。

「死後の無」を端的な無として捉えて、欠如的な無と差別化するならば、たしかに、その恐ろしさは特別であって、「謎」である。しかし、生まれる前にも自分は「端的な無」であったわけだから、未生の無と死後の無はどちらも端的な無であって、両者は差別化できなくなる。すなわち、**未生の無と死後の無は、どちらも「端的な無」としては同じである。**それなのに、私たちは、未生の無と死後の無が同じだとは思えない。なぜ、生まれる前の

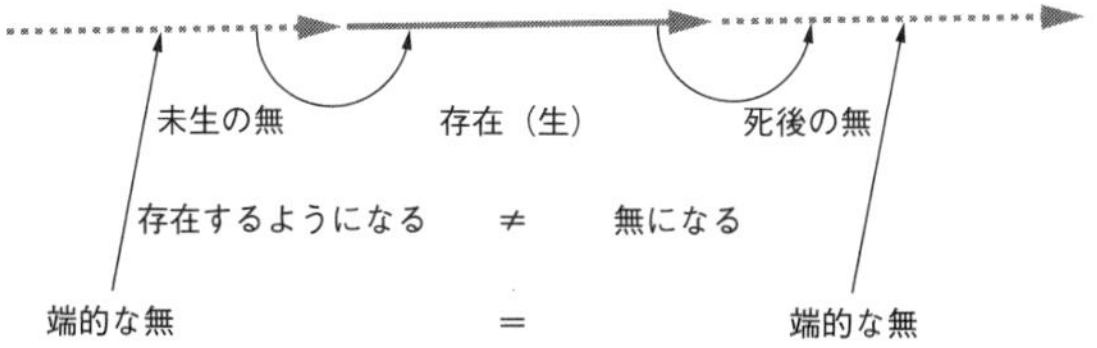

「無」と死後の「無」は同じでないのか？
「欠如的な無」ではない「端的な無」に焦点を合わせると、未生の無と死後の無は、「端的な無」としては同じになる。しかし、同じであるとは感じられないのは、なぜだろうか？　それは、未生の無はまだ生まれる前の無であるが、死後の無は生まれ生きた後の無であるから。つまり、未生の無からは存在（生）が生成できるが、死後の無ではその存在（生）が奪われる。だから違う。しかし、その違いを付けようとすると、死後の無は「存在（生）が無くなる」という「欠如的な無（何かが無くなること）」にもう一度戻ってしまう。しかし、問われているのは、「欠如的な無」ではなく、「端的な無」である。「端的な無」に焦点を合わせると、未生の無と死後の無は、まったく何もないので同じである。以下繰り返しになり、「＝」と「≠」のあいだを堂々巡りする。

　上図は、未生の無と存在（生）と死後の無の三つを、「なる」と「端的」という二つの見方で表している。前者の見方では「≠」になり、後者の見方では「＝」になることを図示している。

　この**循環的な袋小路**から、抜け出せるのだろうか？　一つの方法は、未生の無と死後の無は、端的な無として何の違いもなく、同じであると認めてしまうことである（**「＝」の路線**）。そうすれば、循環的な袋小路には陥らないで済む。もう一つの方法は、むしろ端的な無を放棄して、欠如的な無に一元化してしまうことである。端的な無など、そもそも存在不可能な無であるか、存在可能であっても認識不可能な無である。無は、私たちにとって、何かがないこと（欠如的な無）以外ではありえない（**「≠」の路線**）。そうすれば、循環的な袋小路には陥らないで済む。

もう一つだけ、抜け道のような**第三の方法**がある。それは、無を二つに分ける（端的な無と欠如的な無に分ける）のではなく、そのあいだの**中間的な第三の「無」**を考える方法である。循環的な袋小路は、二分された無のあいだで生じるので、そこから逃れて、**第三の無**を「死後の無と未生の無」の問題に適用すれば、循環的な袋小路に陥らずに済む。死後の無と未生の無を、端的な無／欠如的な無の二つの観点で比較するのではなく、どちらでもない**第三の無の観点**で考える。これが**第三の方法**である。

中間的な第三の無では、生の中での何かあるものの喪失と、生そのものの喪失（死）とを区別して考える。後者が**第三の無**である。生の中での何かあるものの喪失が、欠如的な無（**部分的な欠如**）であるのに対して、生そのものの喪失（死）は、部分的な欠如ではなく、**全面的な欠如**である。後者の第三の無は、喪失・欠如である点では端的な無ではないが、しかし生の中で起こる喪失・欠如とも違って、生の中では起こりえない生そのものの喪失・欠如である。なぜ「中間的」かと言えば、次のような系列の真ん中だからである。

端的な無——全面的な欠如（第三の無）——部分的な欠如

部分的な欠如の場合には、失われる部分が端的によいもの（＋）であれば、その欠如は悪いもの（－）であるし、失われる部分が端的に悪いもの（－）であれば、その欠如はよいもの（＋）である。その全てが、生の中で（生の一部分として）起こる。

しかし、全面的な欠如は、それとは異なる。全面的な欠如では、生の中で＋が生じたり－が生じたりする可能性の総体が、すなわち生の全体が、そっくり奪われる。しかも、その生の全体の喪失（＝死）が、悪いこと（－）と捉えられる。「特別な恐ろしさ」は、この全面的な欠如における－の価値に当たると考えれば、理屈は回復する。あらゆる＋－の可能性の総体としての生が失われること（＝死）は、**高次の悪いこと（高階の－）**になっている。個々のよいことが失われるから－なのではなく、**よいこと・悪いこと両方の可能性の総体が失われること**が、**高次の悪いこと（高階の－）**である。その高次の悪いこと（高階の－）に向けた感じられ方が、特別な恐ろしさである。

第三の無の観点を採るならば、未生の無は死後の無とは正反対になる。こんどは逆に、個々のよいことが生まれるから＋なのではなく、**よいこと・悪いことを含むあらゆる可能性自体が生まれ出ることが、高次のよいこと（高階の＋）**になる。未生の無から生まれることへの移行は、部分的な何かの獲得ではなく、＋－の可能性自体の誕生・獲得である。その高次のよいこと（高階の＋）へ向けた感じられ方が、特別な喜び・祝福である。

たしかに、第三の無の観点は、循環的な袋小路に陥ることなく、死後の無と未生の無の違いを説明できるし、さらに（それ自体ではないが）端的な無に肉薄することもできる。いわば、**端的な無と欠如的な無のハイブリッドになっている。**この観点は、直観的に受け入れやすいと、感じる人たちもいるかもしれない。

しかし、第三の無という観点も、いいこと尽くめではない。この観点を採ると、次のようなことになるが、果たしてそれでいいのだろうか？　新たな問題が発生する。

個々のよいこと・悪いことを超えた、それらを含んだ可能性の総体が存在すること自体、すなわち生きていること（生のあること）自体が、特別な端的なよさ（＋）を持つ。**生のよさを、第三の無の観点は前提にしている。**だからこそ、特別な端的なよさ（＋）を全面的に奪うこと（死）は、特別な悪さ（－）を持つし、逆に、特別な端的なよさ（＋）を初めて生むこと（誕生）は、特別なよさ（＋）を持つ。要するに、生まれるのは特別によいことで、死ぬのは特別に悪いことである。第三の無の観点は、そう考えている。この考え方は、**存在すること（生）は、とにかく端的によいこと（＋）であると、それを大前提にしている。**

この大前提を受け入れられる人、あるいは受け入れたい人も、多いかもしれない。しかし、なぜ「**存在すること（生）がとにかく端的によいこと（＋）である**」と言えるのかは、その理路ははっきりしない。その理路の見つからなさは、「**端的な無**」が恐ろしいことと、それほど変わらない。どちらも、「**謎**」のままに留まる。

ということは、その前提の否定も成り立つということである。諸々の可能性の総体を含んだ生の存在は、「端的に悪い（－）」のかもしれない。[10] あるいは、よい・悪いという価値を付与すること自体が、そもそもできない（価値無記である）のかもしれない。これら**三通りの選択肢のあいだでの宙吊《ちゅうづ》り状態**は、価値論的な問いを問い始めたときの三つの選択肢を前にした状態と同じである。こうして、問いは何度でも反復される。

いや、問いは反復されるだけではなく、増える。

二八三頁の図から明らかなように、「未生の無――生――死後の無」は、「過去――現在――未来」という時間系列と重ねられている。未生の無と死後の無が、決定的に違うと感じられるのは、価値論的な問題だけでなく、時間表象にその多くを負っている。時間を、二八三頁の図のように方向を持った直線として表象することが、たとえ端的な無であっても、過去（左）に位置するか、未来（右）に位置するかで、決定的に違ってくるかのように思わせてしまう。しかし、思考実験として、時間表象を直線から円に変えてみるならば、（それ以外の一方向性や一次元性はそのままであっても）ずいぶんと状況が変わる。その点を、想像してみていただきたい。上の図では、円の実線部分が

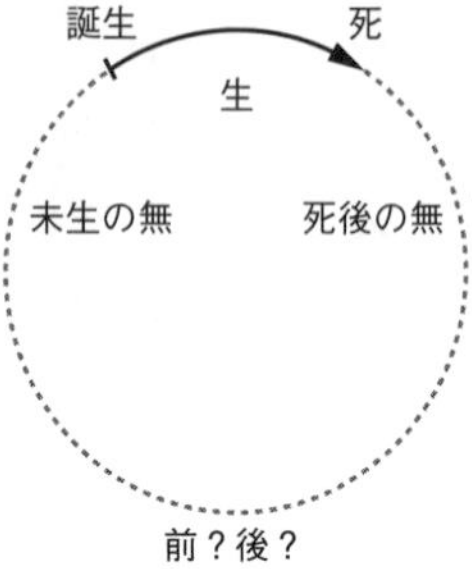

「生」で、点線部分が「端的な無」を表す。**円環モデル**へとシフトするならば、未生の無と死後の無は、同じ端的な無として、もう一度「同じ」へと接近することになる。一方向性・一次元性はまだ残っているモデルなので、端的な無が生の前と生の後に位置する点では、直線モデルと変わらないように見える。しかし、局所ではなく、**円環の全域で考える**ならば、生の前と生の後の無の区別は、失われていく。円環の6時にあたる位置を考えてみれば、そこが、生の前なのか生の後なのかは、決められなくなる。むしろ、**前でもあれば後ろでもある**。端的な無には、時間の前後関係は通用しなくなることが分かる。

しかも、円を無限大に拡大して想像すると、どうなるだろうか？「生」の期間は、図

のように幅のあるものではなくなって、点に等しくなる。その点（生）が円環的な無限大の時間の一点を占めているだけになる。そのような一点は、無限大の端的な無の中では、ほんの一瞬、しかも偶然に点滅する存在である（点滅せずに無限大の端的な無のままでもよかった）。無限大の円環モデルから導かれる無の姿は、「欠如的な無」によっても、「第三の無」によっても捉えることはできない。**「存在（生）」から「無」へと初期設定（デフォルト）が反転しているから**である。この初期設定（デフォルト）こそが、「端的な無」の完全版に当たるだろう。しかし、そのような「反転」は、そもそも可能なのだろうか？

　本章の「死んだら無になるのか、それとも何かが残るのか？」という問いの背後には、**時間についての問い**が控えていることが分かった。本章では、何度も「時間の問題」が顔を出した。「問いは反復されるだけではなく、増える」のは、背後の「時間の問題」の効果である。時間についての問いが、問われねばならない。

付録

国語入試問題と哲学の交錯

次の文章を読んで問いに答えよ。

「私たち」というあり方には、それ以外の他のあり方がないことに驚愕《きょうがく》したことはないだろうか。あるいは、ことばを使って思考し話をすることには、その外部がありえないことに、呆然《ぼうぜん》としたことはないだろうか。

「えっ?」と疑問に思われるかもしれない。「私たち」というあり方は、「私たち」でない者たちを排除して、自分たちだけで閉じる閉鎖的なあり方であって、「私たち」以外の他のあり方――たとえば「彼ら」――があるではないかと。「私たち、日本人」に対しては「彼ら、米国人」が、「私たち、地球人」に対しては「彼ら、異星人」がいる、というように反論されるかもしれない。また、(ア)ことばの外部がありえないなどと、何を寝ぼけたことを言っているのだろう、と思われるかもしれない。ことばは、ことば以外の物や事柄と結びつくことで、ことばとしての働きを持つのではないか、と反論されるかもしれない。

逆に、当たり前のことを言っているにすぎないと捉えられて、簡単に同意されてしまうかもしれない。「私たち」は、どんなに肌の色や文化が違っていてもみんな同じ人間として、さらにどんなに身体構造・機能が違っていても、同じ生命体として一つの全体集合を構成している。だから、「『私たち』は一つであり、すべてを含むのだ」というように理解されてしまうかもしれない。ことばと結びつけられる物や事柄たちの、その相互の区別・秩序自体も、ことばの意味（概念）を介して分節化され構造化されているのだから、ことばの外部にあると思われている物や事柄も、実はことばの網目にすでに組み込まれていて、すべてがことばの内部で秩序づけられている。だから、ことばの外部なんてない、あってもせいぜい絶対無分別の暗黒宇宙のようなものだろう、というように理解されてしまうかもしれない。

しかし、私が言おうとしているのは、そういうことではない。「私たち」というあり方が、単一の全体集合だと言いたいのではないし、すべての物事がことば（概念）による分節化の中にあると言いたいのでもない。また、「私たち」というあり方が、「彼ら（他者）」を排除する閉鎖的なものであることを問題にしたいのではないし、ことばと物・事柄との結びつきを否定したいわけでもない。

たしかに、「私たち」というあり方は、「私たちでないもの」を排除して閉じようとすることによって、立ち上がる。しかし、「私たち」と「私たちでないもの」のその分割は、どこで行なわれているのだろうか。「私たち」と「私たちでないもの」の区別を産み出しているのもまた、「私たち」である。すなわち、「私たち」と「私たちでないもの」のあいだの分割線を引くこともまた、「私たち」の働きなのである。

ここでは、「私たち」は二重の働きをしている。つまり、「私たち」とは、区別をつける（分割線を引く）ことでもあり、その区別によって分割された二項のうちの一方でもある。二項のうちの一方としての「私たち」には、たしかに外部（対立項）——私たちでないもの——がある。しかし、その外部（対立項）もまた、区別をつける（分割線を引く）ことによって、産み出されている。外部（対立項）もまた、「私たち」の作動の内にある。分割すること自体とそれによって出現する一項。この二つの異なるレベルを、「私たち」というあり方は一つに折り畳《たた》んでいる。

「私たち」というあり方は、「私たち」と「それ以外のあり方」を同時に産み出すことを繰り返していくあり方だからこそ、その外がありえないのである。たとえば、「私たち」の対立項が、「彼ら＝米国人」である場面では、その「私たち」は日本人である。しかし同時に、「私たち」は、日本人と米国人を分割する場、共通の土俵（「地球人」）としても、機能する。「私たち」が同じ土俵の上にいるからこそ、分割線を引くことができる。しかし、いったん「私たち」が「同じ地球人」という土俵として可視化されるならば、その「私たち」に対して、地球人でないもの（「異星人」）が対立項として立ち上がる。そして、「地球人／異星人」という分割を支える共通の土俵の位置へと、「私たち」は移動する。背景へと退いたその「私たち」を、「同じ一つの生命体」として可視化することもできるが、「私たち」はさらに不可視の背景へと移動する。

「私たち」は、とりあえず「外」を立ち上げつつも、その「外」を自らに回収しつつ、さらにまた新たな「外」を立ち上げ続ける。そして「私たち」は、その反復の中で、不可視の背景へと移動し続ける。この更新の繰り返しこそが、「私たち」というあり方に他ならない。この反復には外がない。一見（とりあえず）外があるように見えるのだが、実は外がない。地平線をまたぎ越して、向こう側に行くことなどできないのと同じように、あるいは、(イ)どこまでも行っても地平線のこちら側であり続けるのと同様に、「私たち」には外はない。

したがって、「私たち」に外がないのは、(1)ケンゴに閉じて閉鎖的であるからではない。どこまでも閉じることと開くことを繰り返すから、その外がないのである。また、「私たち」に外がないのは、一つの全体集合だからではない。むしろ、閉じた集合になりえないことを反復するからこそ、外がないのである。「私たち」というあり方は、「落差」の反復的な産出なのである。

ことばを使って思考し話をすることに、その外部がありえない理由も、同様の「落差の反復」にある。それは、単純に物や事柄をことばの外部に位置づけるという発想とも違うし、逆に物や事柄をことばの網の目の内部にすべて取り込んでしまうという発想とも違う。むしろ、その（一見逆向きの）両方の発想が一つに組み合わさり、かつその対《つい》関係が終わりなき繰り返しに巻き込まれることが、「落差の反復」である。

まずは素朴に、一方にことばがあり、他方に物事があると考える。ことばの方が（ことばではない）物事の方を指示し表現する。両者は、そういう仕方でお互いに結びついているように見える。しかし少し考えると、この素朴な発想は(2)イジできなくなる。なぜならば、ことばではない方に位置づけられた物事にもまた、すでにことばが(3)シントウしているからである。物事を相互に区別し秩序化しているのは、ことば（概念）の持つ分節化の力である。一方にことばがあり、他方に物事があるという区別もまた、ことばの分節化を経由している。ことばの働きの中で、ことばと物事が分割され、かつ結びついている。

しかし、ここから「ことばの網の目の内部にすべてが取り込まれる」と結論するのは、早計である。たしかに、ことばは、ことばの外部の物や事柄の世界をも分節化している。しかし、その当のことばも、人類がある時期手に入れたものであり、それぞれの人が一歳前後に獲得し始めるものであることは明らかである。つまり、ことばの誕生や獲得にも、それなりの「歴史」がある。すべてを覆うように思われた「ことばの網の目」自体が、自然史（誌）の中へと位置づけられ、ことばの起源やことばの獲得が語られる。いわば、(ウ)ことばは「全体」から「局所」へと墜落する。ことばは、もちろん「すべて」ではないのである。

しかしさらに、そのような「歴史」「起源」「(4)ハッタツ」についての知見もまた、ことばによる分節化の賜物《たまもの》に他ならない。ことばとことばを産み出す自然との分割を行なっているのもまた、ことばである。ことばの外の物事もことばの意味の内で分節されるという、その当のことばの誕生以前もまた、ことばの意味の内部で(5)ビョウシャされざるをえない。このようにして、ことばにおいてこそ、ことばとことばの外の分割が産出され続けていく。ことばの外部がないというのは、そういう反復のことに他ならない。

（入不二基義『足の裏に影はあるか？ないか？　哲学随想』による）

問㈠　傍線の箇所⑴⑵⑶⑷⑸の片仮名を適切な漢字に書き改めよ。

問㈡　傍線の箇所(ア)に「ことばの外部がありえないなどと、何を寝ぼけたことを言っているのだろう、と思われるかもしれない」とあるが、筆者がそのように考えるのはなぜか。五十字以内で説明せよ。

問㈢　傍線の箇所(イ)「どこまでも行っても地平線のこちら側であり続ける」とは「私たち」のどのようなあり方をたとえているのか。本文の内容に即して、七十字以内で説明せよ。

問㈣　傍線の箇所(ウ)「ことばは『全体』から『局所』へと墜落する」とはどのようなことか。本文の内容に即して、七十字以内で説明せよ。

問㈤　筆者がこの文章で「『私たち』」と「ことば」を同時にとりあげているのはなぜか。本文全体の趣旨を踏まえて、五十字以内で説明せよ。

（東北大学〔文系〕二〇一八年度前期日程入学試験国語第一問）

拙著『**足の裏に影はあるか？ ないか？ 哲学随想**』（朝日出版社、二〇〇九年）所収の「『私たち』に外はない」からの出題である。以下では、出題された文章の著者である私自身が、その文章につけられた設問に対して解答例を作成し、さらに解説を加えるという「変なこと」を試みてみよう。その中で、文章を読み解くことと哲学することとの「交錯」を感じ取ってもらえると幸いである。次の順序で話を進めよう。

Ⅰ　全体的なコメント
Ⅱ　私の解答例と設問へのコメント
Ⅲ　東北大学の「出題意図と講評」
Ⅳ　誤読についてのコメント
［地平線という比喩についての追補］

Ⅰ　全体的なコメント

私の文章（「私たち」に外はない）の議論構造（手順）全体は、次のようになっている。

(1)「私たち」とことばの二者について、誘導的な問いで始める。その誘導方向である「両者の外のなさ」に対して想定される「反論」と「同意」をとりあげる。
(2)「反論」も「同意」もどちらも退けて、二者の「外のなさ」を別様に考える。
(2-1)「私たち」の二重の働き=落差の反復に、「外のなさ」を見る。

(2-2)「私たち」の二重の働き=落差の反復を、地平線のあり方に擬える。

(2-3)「外のなさ」への想定反論と想定同意のどちらも退けて、むしろ、その両者をカップリングし続ける反復運動に「外のなさ」を見る。
(3) ことばのほうについて、「外のなさ」を考える。
(3-1) 反論側の考え方を、同意側の考え方によって崩す。

(3-2) 同意側の考え方を、反論側の考え方によって崩す。

(3-3) 再度、反論側の考え方を、同意側の考え方の内へと回収する。

(3-4) この反復自体を(「私たち」のあり方と同型の)「外のなさ」と見なす。


東北大学の「問い」の設定は、この議論構造(手順)をうまく反映するように作成されていて、きわめて洗練された問題になっている。

まず問二は、冒頭の「想定反論」に関わる箇所で作られていて、筆者(私)が意図があって持ち出した想定反論という箇所なので、「筆者がそのように考えるのはなぜか」を問うことが効果的な箇所である。捻れた（?）私の意図が、「……などと、何を寝ぼけたことを言っているのだろう、……」という表現（自己ツッコミ）に読み取れることを、出題者は見逃していない。

（問二とは違って）問三や問四は問い方を変えている点に注目したい。こんどは「本文の内容に即して」という問い方になっている。それは、問三と問四が本文の中心的な議論内容（落差の反復による「外のなさ」）に関わる設問だからである。冒頭のような「あえてする反論の設定」場面では、（「自己ツッコミ」に表れるような）「筆者の意図」の読み取りが重要である。というのも、それが「議論の流れ」を読み取ることに繋がっているからである。しかし、議論の核心部分・中心主張において重要なのは、（そのような意図よりも）むしろ議論の構造や内容そのものである。

この文章では、落差の反復を「私たち」とことばという二者に即して論じているが、そのことに対応して、その二者が問三と問四にきちんと配分されている。つまり、問三が「私たち」を問い、問四がことばを問うている。適切な「設問配分」である。

それだけではない。「二重の働き＝落差の反復」には、当然〈二面性——上昇と転落、全体化と局所化——〉があるが、問三ではその「上昇・全体化」の局面を、（地平線の比喩に即して）問うているのに対して、問四ではもう一方の「転落・局所化」の局面を問うている。きわめて正確な「設問配分」になっている。比喩（地平線）が重要な働きをしていることも、見逃すことなく設問の中に組み込まれている。

問五は、最後の設問に相応《ふさわ》しく、「筆者が……同時にとりあげているのはなぜか」という「筆者の意図」寄りの側面と、「本文全体の趣旨を踏まえて」という「議論そのもの」の側面の両方を、総合する形で問うている。このような「問二⇩問三・問四⇩問五」という問い方の流れは、問題として「美しい」とさえ思う。ちなみに、問三と問四が「本文の内容に則して」となっているのに対して、問五は「本文全体の趣旨を踏まえて」となっている。「内容に則して」が「趣旨を踏まえて」に変わることによって、俯瞰の度合いが上がっていることも感じ取れる。

筆者（私）が、「私たち」とことばの両方を取り上げているのは、両者の「同型性」を利用することによって、「落差の反復による外のなさ」というあり方を説得的に論じるためである。この水準においては、「「私たち」とことばは、ともに落差の反復によって外のないあり方をしている」という「本文全体の趣旨」と、「私たち」とことばを同時に取りあげる「理由（意図）」は一体のものとなっている。だからこそ、「総合する形で」問われているのである。「趣旨」「理由」「意図」が読み取れることと、（1）〜（3）で示したような「議論構造・手順」が見えていることとは、一つのことなのであって、別物ではない。

Ⅱ 私の解答例と設問へのコメント

【私の解答例】

問二

ことばの働きは、その外部の物や事柄を表すことだという反論がありうると、筆者は想定しているから。（47文字）

問三

「私たち」とは、私たちと彼らという対比の一方であると同時に、その対比（分割）自体を作り出し続けていく越えられない反復運動であるというあり方。（70字）

問四

世界全体を分節化して秩序づけるという働きをしていることばが、その世界の中で起源等が説明できるような一部分として位置づけられてしまうこと。（68文字）

問五

落差の反復ゆえに「外がない」というあり方を説明するために、「私たち」とことばの同型性が役立つから。（49字）

【問二へのコメント】

問二へ解答するときのポイントは、二つあるだろう。

一つは、（「私たち」には外があるという想定反論に続いて）「ことばには外部がある」という反論を想定しているという点であり、もう一つは、想定される反論とは（傍線部の次に書いてあるように）ことばの外部とは、その指示対象（物や事柄）であるという考え方だという点である。

後者のポイントは分かりやすいが、前者は、議論の手順と筆者の意図を十分に把握していないと、単に「一般的な考え方だから」や「一般的とみなしているから」という解答を作成してしまう可能性がある（以下の「Ⅳ　誤読についてのコメント」を参照）。

しかし、「何を寝ぼけたことを言っているのだろう」という自己ツッコミからは、単に「一般的に言ってそういう考え方がある」というニュートラルな認識を示そうとしているのではないことが分かるだろう。このいささか「過剰な」言い方（ツッコミ）に、筆者の意図を読み取るべきなのである。

問三・問四・問五にも関連してくるが、「想定反論」と「想定同意」の両方を退けて、むしろ両方をカップリングして利用することで、「落差の反復による外のなさ」を導くというのが議論の大筋である。

この議論のあり方が、「誤読」されてしまうのかもしれない。その「想定同意」側の考え方が、そのまま筆者自身の考え方であると誤解されてしまうのかもしれない。正しくは、「上昇・全体化」の局面のみを採り上げて「外がない」と言っているのではなくて、「上昇・全体化」の局面と「転落・局所化」の局面のあいだの**繰り返しの運動自体によって、「外のなさ」が産出される**と言っているのである。「反復」「繰り返し」というダイナミックスが導く「外のなさ」が理解できていないと、解答も不十分なものにしかならないだろう。

【問三へのコメント】

問三では「上昇・全体化」の局面を（地平線の比喩に即して）問うているのに対して、問四では「転落・局所化」の局面を問うている。問三の「どこまで行ってもこちら側であり続ける」という地平線のあり方は、（国境線などとは違って）更新や繰り返しの運動が産み出しているのだから、それと同型の運動を「私たち」に即して言う必要があるだろう。

【問四へのコメント】

また問四では、ことばを「歴史」の中に位置づけて、その「起源」や「獲得」について語り、ことばを自然史（誌）の一部として捉えることが「転落・局所化」である点を、ことばの分節する機能（上昇・全体化）と対照する形で説明する必要があるだろう。しかも、世界全体を覆うまでに上昇したことばが、その世界の中の一部分へと転落する点が重要である。

【問五へのコメント】

問五の解答ポイントは、次の二点であろう。言いたいことの中心は（2）であり、それを言うための場として、（1）の同型性・共通性が利用されている。

（1）「私たち」とことばの同型性・共通性。

（2）その同型性・共通性の内容が「落差の反復による外のなさ」「外／内の分割運動の繰り返しによる外のなさ」であること。

Ⅲ　東北大学の「出題意図と講評」

東北大学は「出題意図と講評」を公開していたので、読んでみた。

設問も素晴らしいものであったが、この文章もまた優れた解説文になっている。「出題意図」の部分を引用しておこう。

入不二基義『**足の裏に影はあるか？　ないか？　哲学随想**』所収の「『**私たち**』**に外はない**」からの出題です。この文章は「私たち」と「ことば」が共通して持つ「外がない」というありかたを論じたものです。「私たち」「ことば」のいずれもが、それ以外のあり方を生み出しながらも、それをさらに内に取り込みつつ、またその外を立ち上げるということを繰り返すために外がない、ということを主張する文章です。本文は論理の構造が文章展開・文章構成に反映された、そして、ある程度の抽象性を持った文章です。こうした論理的な文章の内容と展開を正確に読み取る読解力、また、定められた字数の中で要点を的確に説明する表現力を問うことが、この設問の趣旨です。

Ⅳ　誤読についてのコメント

私が知りえた予備校等の解答例の中から、いくつかを採り上げて、コメントを加えておこう。

【問二】

（解答例1）ことばはその対象である外部としての物や事柄と結びつくことで意味を持つと、一般的に考えられているから。【駿台】
（解答例2）普通の人は「外部」の事物なしにことばが機能することはないと考えるはずだ、と筆者が想定しているから。【教学社】
（解答例3）常識的には、ことばはある事物を指示・表現し、それらの事物はことばの外部にあると思われているから。【代ゼミ】
（解答例4）ことばは、ことば以外の物や事柄と結びつくことでその機能を果たすというのが一般的な考え方だから。【東進】

これらの解答例に共通しているのは、「一般的に考えられている」「普通の人は……考える」「常識的に思われている」「一般的な考え方」という箇所である。しかしこれでは、設問が求めている「筆者の意図」を表現するに至っていない。上記でもふれたように、これらは、「何を寝ぼけたことを言っているのだろう……」という表現の意味（意図）が捉えられていない。「筆者がそのように考えるのはなぜか」で問われている筆者の意図は、当該表現を議論構造（手順）の中に位置づけてみれば、「反論の想定」であることが分かるはずである。想定される反論側の語気の強さ（鼻息の荒さ）のようなものを、「何を寝ぼけたことを……」という表現からは読み取ることができる。

東北大学の「講評」は、次のように述べている。

問（二）指示された箇所について、筆者がそのような表現を用いた意図を前後の文脈をふまえながら、的確に説明できるかを問うものです。全体としては良好な結果でしたが、筆者の表現の意図の説明ではない解答も少数ながらみられました。

上記の予備校等の解答例は、その「少数」の中に入ってしまうのではないだろうか。このような不十分な読みが生じてしまう背景には、「一般論（常識）と筆者の主張」という二項対立を使って読むという方法・態度が、予備校などの場では蔓延している事情があることを、予備校講師かつ研究者である知人が教えてくれた。私もその指摘は正しいと思う。この文章は、固定的な二項対立では済まされない、もう一段上の水準の論理（方法）によって書かれているので、ふだん慣れ親しんだ方法・態度が、逆に「陥穽《かんせい》」として働いてしまったことになるだろう。

次のような解答例もあった。

（解答例5）ことばはその外部の物事を指示することで機能するので、筆者の考えは非常識だと見なされるはずだから。【河合塾】

先ほどの解答例とは違って、逆側から表現している。しかし「同じ穴の狢《むじな》」である。「（常識の側からは）非常識だと見なされるはず」という表現が、「何を寝ぼけたことを言っているのだろう……」という表現（自己ツッコミ）と符合しているようにも見えるが、それは表面的なことにすぎない。筆者の意図は、仮想的な議論の対立を設定することなのであって、常識（一般論）と非常識（独自主張）のような二項対立の中で、その一方を主張することなのではない。いずれにしても、常識と非常識、一般論と筆者の主張という固定化した「枠組み」を超えて、読解・思考することが求められている。

【問三】

（解答例1）「私たち」と異なるあり方を区別し、外部と定義しても、この対立項を生み出すのは「私たち」なので、結局は外部を見いだすことにはならないあり方。【駿台】

（解答例2）「私たち」と「私たち以外」が分割された時点でそれらを含む全体としての「私たち」が立ち上がることが繰り返され、常にその内部に置かれるあり方。【東進】

この解答例は、まちがいではないにしても、どこか不全感の残る記述である。なぜだろうか。このような微妙なところ（わずかなズレ）にこそ、重要な問題点が伏在している。抉《えぐ》り出そう。

上記のような解答例は、「分割の結果として作られる外部」が「分割するという行為の内にある」という点を、「外がない」と解釈している。その解釈の仕方を、ことばの場面に移して言えば、「ことばが指示する外の指示対象もまた、ことばの分節化という働きの産物である（ことばの網の目の内部にある）」という解釈に相当する。すなわち、この解釈は、「私たち」やことばの「全体を覆うように働く（全体化）」という側面を、そのまま「外がない」こととして解釈していることになる。比喩である「地平線」の場面に移して言えば、「地平線の越えられなさ」を、あたかも、「絶対境界線のようなものが引かれている」ことであるかのように考えていることになる。

しかし、「全体を覆うように働くこと（全体化）」は「落差の反復」という「外のなさ」を生み出す運動の半面にすぎないし、「どこまで行っても地平線のこちら側であり続ける」のは、「絶対境界線のようなものが引かれている」からではない。そうではなくて、「（乗り越え可能な）とりあえずの境界線を引き続けることをやめない」ことがそのつど地平線を生み出しているのであって、その繰り返しが「地平線を越えられない」ことに他ならない。同様に、全体化そのものではなくて、全体化と局所化が繰り返すことが、「外のなさ」を生み出しているのである。

この点が重要である。「外のなさ」は、「全体化」と「局所化」がカップリングした「落差の反復」という運動の内部にあり続けることなのであって、その半面である「全体化」が、「私たち」やことばの「外のなさ」なのではない。ことばの場面では、この点が（3－1）（3－2）（3－3）（3－4）という構造（手順）を通して強調されている。「解答例」から感じ取ることのできる不全感は、この微妙ではあるが重要な差異の捉え損ないに由来していたのである。次のような解答例の後半部（自他の区別を消滅……）にも、「外のなさ」についての誤解が読み取れる。

（解答例3）自他の区別を生み出した瞬間にそれを生み出す主体としての新たな自己を定位し、自他の区別を消滅させすべてを自己の内側にしてしまう、というあり方。【教学社】

【問四】

（解答例1）ことばがその内部で全てを秩序づけるという考えは、外部の物事の分節化のために獲得された、起源を持つものに過ぎないという考えにより力を失うこと。【駿台】

（解答例2）ことばは歴史的に獲得されてきたものなので、ことばが世界の全てを分節しているとは言えず、その一部を説明しているに過ぎないということ。【東進】

この解答例の「……という考えは、……という考えにより力を失う」「……に過ぎない」というまとめ方は、適切であるとは言い難い。一番重要なことは、「全体⇩局所⇩全体……」という落差の反復（繰り返し）の運動の中に「墜落」を位置づけることである。つまり、ここで生じている「墜落」は、もう一方の「上昇」と一体化している運動の半面であるし、「全体がその全体の中の一要素となる」というパラドクシカルな性格も帯びている。そのような運動性や緊張が、解答例のようなまとめ方からは、失われている。次のような解答例のほうが、その点への顧慮が感じられて好ましい。

（解答例3）ことばはすべての事物を取り込んでいるように見えて、実は人間による獲

得物であることから、全体の中の一部にすぎないとみなされるということ。【河合塾】

（解答例4）ことばが分節化によって万物をその内部に秩序立てる存在から、ことば自体の歴史性が明らかになることによって部分的な存在へと成り下がるということ。【代ゼミ】

【問五】

（解答例1）両者ともに、対象を分割することと結びつけることとを永遠に繰り返していく点が、同じだと訴えたいから。【駿台】

（解答例2）共に自他の区別を反復し、閉じた集合になりえない点で永遠に理解不可能な存在であると伝えたかったから。【教学社】

脱力感に襲われるような、あるいは「的外れ」の感を強く抱いてしまうような解答例である。まず、全体と局所の「落差」は、「対象を分割することと結びつけること」ではない（そもそも本文中で、分割と結合という対など問題になっていない）。次に、本文は「永遠に理解不可能な存在である」と主張してはいない。これでは「筆者の意図」を読み取ったのではなく、解答作成者の「思い込み」を述べていることになる。

次のような解答例は、固有の別の問題点を含んではいるけれども、上記の解答例よりは「的をかすっている」ように思われる。

（解答例3）両者は自身とそれ以外との分割を反復して外部を持たない点で、人間特有の認識のあり方をしているから。【代ゼミ】

（解答例4）他者や世界といった外部は、「私たち」や言葉が不断の更新を繰り返すなかで産出されるものにすぎないから。【河合塾】

前者の解答例に対しては、こう述べておきたい。落差の反復という共通性は、「人間特有の認識のあり方」で表現されているような、人間論的かつ認識論的な次元だけに限定されるものではないだろう。また後者の解答例では、本文の読解からは逸脱する「外部は……にすぎない」という価値判断が加わってしまっている。そこは、勇み足だと思う。

†地平線という比喩についての追補

「地平線」が、「私たち」という外部のないあり方の比喩として用いられていることから、「地平線は近づくと離れるし、その距離は保たれ続けられるので越えられない」という点を読み取ることは、重要な一歩である。

しかし、それだけではまだ、地平線を「私たち」の比喩とすることの妙味を、十全に汲《く》み尽くしているとまでは言い難い。というのも、「私たち」が局所かつ全体として働くという二重性と、「地平線」が一見固定的に引かれた線であるかの如く見えるが、実はそのような境界線のようなものではないという二重性が、対応しているからである。「地平線」は、とりあえず地表に引かれた線であるかのように見えることと、（近づいてみれば）そうではなかったことが分かることの組み合わせからできている。そして、その一方ではなく、両方がセットになって初めて成立するのが「地平線」というあり方であり、だからこそ、そこには「運動」が介在する。

つまり、「私たち」にしろ「地平線」にしろ、そのあり方（二重性）を成り立たせているのは「運動」である。分割された一方と分割すること自体、地表にいったん固定されているように見えることとそれが実は固定された線のようなものではないこと、その両者は「向こう側（外）に見えるところに向かって歩み続けること」という運動が生み出しているものであるという点こそが、比喩のポイントである。

ちなみに、出典となった拙著『**足の裏に影はあるか？ないか？　哲学随想**』には、「**地平線と国境線**」も収録されている。上記のポイントは、その文章からの方が、読み取りやすいであろう。

最後に、もう一点付け加えておこう。本書第2章における「巨大な夢の外はないかもしれない」という懐疑（六〇頁参照）は、「私たち」やことばや（国境線ならぬ）地平線の「落差の反復」と同型の運動による「外のなさ」の事例であった。いわば、本体は「落差の無限反復」という運動であり、「私たち」・ことば・地平線は、その本体の現れである。

注

第1章

（1）『数学Ⅰ』（数研出版、二〇二一年）、六六頁。本書の次頁の「証明」は『数学Ⅰ』六七頁からの引用。

（2）数学と哲学が交わるところでの問いは、論理についての哲学的な問い（二値原理・排中律・否定・無限などについての問い）として問われる。

第2章

（1）トマス・ネーゲル『哲学ってどんなこと？――とっても短い哲学入門』（岡本裕一朗・若松良樹訳、昭和堂、一九九三年）の原著 Thomas Nagel, *What Does It All Mean? A very short introduction to philosophy,* (Oxford University Press, 1987.) p.8. を参照。本書の引用の日本語訳はすべて、原著からの拙訳である。

（2）前掲同書 p.8.

（3）ここにも「そこへと達せざるを得ない出発点」(pp.24-25.) が現れている。

（4）pp.45-47の因果関係を利用する答えの試みが、一つ目であった。

（5）前掲同書 p.14.
（6）前掲同書 pp.9-10.
（7）前掲同書 p.12.
（8）ネーゲルのテキストでも懐疑論と独我論の違いが述べられているが、本書の扱い方とは異なっている。独我論のほうも、懐疑論と同じ「認識論」の地平で比較されているので、独我論は「外部は存在しないと知っている」と言っていることになる。ネーゲルは独我論の「知っている」を「勇み足」として批判している。
（9）「現実」概念についても、拡張使用はふつうに行われる。「現実と夢」という対比内の「現実」は、夢ではない部分である。しかし、夢もまた現実の一部分であると考えることができる。その場合には、その「現実」は、「現実と夢」の両方を含む全体へと拡張している。拙著『現実性の問題』（筑摩書房、二〇二〇年）も参照。
（10）拙論「懐疑論・検証主義・独我論から独現論へ」（『現代思想』、青土社、二〇二一年、vol.49-15, pp.89-104.）も参照。
（11）前掲同書 p.17. 傍点は原著ではイタリック体。

第3章

（1）前掲同書 p.19.
（2）このように二つの局面があることは、「五分前世界創造説」の「五分間」という実在する過去と、それ以前の過去の無という二局面設定にも受け継がれていた。六五—六七頁参照。

(3) 前掲同書 p.20. 傍点は原著ではイタリック体。

(4) ネーゲルのテキストでは、「クオリア」という用語は使用されていないが、「内的経験」「感じ」などによって、同様のことが表現されている。

(5) 前掲同書 p.20. 【 】内は引用者による補足。

(6) 前掲同書 p.21. 傍点は原著ではイタリック体。

(7) 前掲同書 p.21. 【 】内は引用者による補足。

(8) 前掲同書 pp.21-22. 【 】内は引用者による補足。

(9) デイヴィッド・チャーマーズ『意識する心』（林一訳、白揚社、二〇〇一年）を参照。

(10) 機能的意識——ふるまいの文脈内で機能的な役割を持つ意識——と対照されている。

(11) 諸星大二郎「夢みる機械」（一九七八年）は、主人公の少年の思春期的な心性を、「ロボットの懐疑」「夢の懐疑」に投影した作品である。永井均『マンガは哲学する』（岩波現代文庫、二〇〇九年）の諸星大二郎論も参照。

(12) 本書における「深層」は、深層心理学や無意識とは、とりあえず関係はない点に注意。

(13) 心やクオリアの問題を、「存在領域」の問題として探究する道は、次の第4章「心と脳の関係とはどのような問題か？」へも引き継がれる。

(14) 前掲同書 pp.23-24. 傍点は原著ではイタリック体。【 】内は引用者による補足。

(15) 懐疑論以後なお信じ続けるためには、正当化できる何かが必要ではないか、とネーゲルは問う。

（16）拙論「意識とクオリア」、永井均・入不二基義・青山拓央・谷口一平『〈私〉の哲学 をアップデートする』（春秋社、二〇二三年）pp.213-249. も参照。
（17）前掲同書 p.24.【 】内は引用者による補足。
（18）前掲同書 p.26.

第4章

（1）前掲同書 p.27.【 】内は引用者による補足。
（2）ここには、いわゆる「リベットの実験」の問題も関与してくるが、ここでは立ち入らない。アルフレッド・ミーリー『アメリカの大学生が自由意志と科学について語るようです。』（蟹池陽一訳、春秋社、二〇一八年）を参照。
（3）前掲同書 p.28. 傍点は原著ではイタリック体。【 】内は引用者による補足。
（4）前掲同書 p.28. 傍点は原著ではイタリック体。【 】内は引用者による補足。
（5）前掲同書 p.30.
（6）テキストから逸脱して考察した部分には、永井均の〈私〉の哲学と、入不二の現実性の哲学が関わってくる。〈私〉の哲学と現実性の哲学については、以下を参照。前掲『〈私〉の哲学 をアップデートする』、永井均・入不二基義・上野修・青山拓央『〈私〉の哲学 を哲学する』（春秋社、二〇二二年）、前掲拙著『現実性の問題』。
（7）前掲同書 p.31. 傍点は原著ではイタリック体。【 】内は引用者による補足。

(8) 前掲同書 p.33.

(9) 本書の「第三の見解――機能主義」は、ネーゲルのテキストでは、章の最後に（第四番目の見解として）登場する。ネーゲルのテキストの「第三の見解」は、本書では「第四の見解――二重様相説」としてあとで扱われる。要するに、本書では、機能主義と二重様相説の順番を、ネーゲルのテキストとは入れ換えている。

(10) 前掲同書 p.35.【 】内は引用者による補足。

(11) 前掲同書 pp.35-36. 傍点は原著ではイタリック体。【 】内は引用者による補足。

(12) 「X」「何か」に留めておく姿勢は、第2章・第3章の主題であった「懐疑論」の態度とも繫がっている。

(13) 前掲チャーマーズ『意識する心』第8章「意識と情報――ある考察」における「情報の二重様相説」(double-aspect theory of information) は、この情報主義（情報実体論）に相当する。この考え方の祖型として、John Wheeler の "it from bit"（それはビットから）という標語で有名な「究極的な実在は情報である」という考え方がある。また、中立的実体を「神」と考えれば、スピノザ的な汎神論にもなる。

(14) 隔たりがあるとしても、「まだ発見・解明されていない物理的な存在」という程度の認識論的な隔たりであって、その未知の存在が物理的に記述可能であること自体は、疑われていない。

(15) 前掲拙著『現実性の問題』の「現実性という力」に関する論述も参照。

第5章

（1）前掲同書p.87.【　】内は引用者による補足。

（2）エピクロスは、古代ギリシアの哲学者。エピクロス『エピクロス――教説と手紙』（出隆・岩崎允胤訳、岩波文庫、一九五九年）、ルクレーティウス『物の本質について』（樋口勝彦訳、岩波文庫、一九六一年）等を参照。

（3）第4章のコギト(1)・コギト(2)、そして「これしかなさ」へと純化されていく「魂」への接近と、ここでの同一性の問題は、繋がりがある。「これしかなさ」にまで純化されると、同一性の問題は意味を失って消える。

（4）時間における「関係と無関係」については、拙論「「私の死」と「時間の二原理」」、日本時間学会『時間学研究』第3巻、二〇〇九年、pp.15-28. も参照。

（5）前掲同書p.91. 傍点は原著ではイタリック体。

（6）欠如的な（negative）意味での＋や－と対照されているのは、端的な（positive）意味での＋や－である。ここでは、快楽は端的に＋であり、苦痛は端的に－である。端的な意味での＋や－が基礎にあって、それを土台にして、欠如的な意味での＋や－が二次的・派生的なものとして、成立している。

（7）前掲同書pp.92-93. 傍点は原著ではイタリック体。【　】内は引用者による補足。

（8）「私たち」の在り方は、付録の東北大学の入試問題で使用された、拙文「「私たち」に外はない」においてもテーマになっているので、参照して頂きたい。

（9） 前掲同書 pp.93-94.

（10） 「反出生主義」の問題に繋がる。「反出生主義」については、以下を参照。デイヴィッド・ベネター『生まれてこないほうが良かった――存在してしまうことの害悪』（小島和男・田村宜義訳、すずさわ書店、二〇一七年）。森岡正博『生まれてこないほうが良かったのか?――生命の哲学へ!』（筑摩書房、二〇二〇年）。

あとがき

授業では精読用のテキストとして使ったトマス・ネーゲル『哲学ってどんなこと？——とっても短い哲学入門』は、そのタイトル自体が「問い」を含んでいる。本書は、その「哲学ってどんなこと？」という問いに対して、「哲学ってこんなこと」と応じたことになる。

「こんな」とは、本書全体を通じてたどってきた軌跡のあり方を指している。その軌跡は、ネーゲルのテキストに寄り添う仕方で「問いを問う」ことから始まった。さらに、テキストの問いを掘り下げた水準で問うことを経て、テキストを超えた水準で「問いを問う」ことへと繋がっていくことになった。たとえば、第3章の最後では、「コギトとクオリアの関係とは？」という増殖した問いを問うことになった（問いを問うことが問いを増やした）。この「**（問いを問うことによる）問いの増殖**」は、「哲学ってこんなこと」のきわめて特徴的な一局面である。

私の授業を受講してくれた学生のコメントの中に、「門をくぐったら、すぐ核心！」という表現があった。これは、哲学そのものの特徴でもあり、私の哲学の授業の特徴でもあるそうだ。なかなか言い得て妙である。授業の反映としての本書もまた、「門をくぐったら、すぐ核心！」、あるいは「入門したら、すぐ奥の院」「入り口がそのまま奥所《おくか》」と言えるような入門書になっているのではないだろうか。「核心の間近さ」「遠さの至近感」もまた、「哲学ってこんなこと」のきわめて特徴的な一局面である。

＊

本書『問いを問う——哲学入門講義』と、拙著『哲学の誤読——入試現代文で哲学する！』（ちくま新書）は、私にとってはペアとなる著作（入門書）である。後者は、哲学の文章を精読することを実践した本であり、前者（本書）は、テキストの精読を経て、哲学の「問いを問う」ことを実践した本である。テキストの精読と自ら問いを問うことは、哲学をするために欠かすことのできない両輪である。

この二冊の編集は、どちらも増田健史さんが担当してくれた。今回、私はかなり集中して短期間に本書の原稿を書き上げた。その集中的な執筆を後押しした動因の一つは、増田さんとのある個人的な約束を実現したいという思いであった。その実現には、もう少し時間がかかりそうであるが、楽しみに待ちたい。

二〇二三年六月

入不二基義

ちくま新書
1751

問《と》いを問《と》う
——哲学入門講義《てつがくにゅうもんこうぎ》

二〇二三年九月一〇日 第一刷発行

著者 入不二基義（いりふじ・もとよし）
発行者 喜入冬子
発行所 株式会社 筑摩書房
東京都台東区蔵前二-五-三 郵便番号一一一-八七五五
電話番号〇三-五六八七-二六〇一（代表）
装幀者 間村俊一
印刷・製本 三松堂印刷 株式会社

ISBN978-4-480-07573-4 C0210

ちくま新書

695
哲学の誤読
——入試現代文で哲学する！
入不二基義
哲学の文章を、答えを安易に求めるのではなく、思考の対話を重ねるように読み解いてみよう。入試問題の哲学文を「誤読」に着目しながら精読するユニークな入門書。

545
哲学思考トレーニング
伊勢田哲治
哲学って素人には役立たず？　否、そこは使える知のツールの宝庫。屁理屈や権威にだまされず、筋の通った思考を自分の頭で一段ずつ積み上げてゆく技法を完全伝授！

832
わかりやすいはわかりにくい？
——臨床哲学講座
鷲田清一
人はなぜわかりやすい論理に流され、思い通りにゆかず苛立つのか——常識とは異なる角度から哲学的に物事を見る方法をレッスンし、自らの言葉で考える力を養う。

944
分析哲学講義
青山拓央
現代哲学の全領域に浸透した「分析哲学」。言語のはたらきの分析を通じて世界の仕組みを解き明かすその手法は切れ味抜群だ。哲学史上の優れた議論を素材に説く！

964
科学哲学講義
森田邦久
科学的知識の確実性が問われている今こそ、科学の正しさを支えるものは何かを、根源から問い直さねばならない！　気鋭の若手研究者による科学哲学入門書の決定版。

967
功利主義入門
——はじめての倫理学
児玉聡
「よりよい生き方のために常識やルールをきちんと考えなおす」技術としての倫理学において「功利主義」は最有力のツールである。自分で考える人のための入門書。

1060
哲学入門
戸田山和久
言葉の意味とは何か。私たちは自由意志をもつのか。人生に意味はあるか……こうした哲学の中心問題を科学が明らかにした世界像の中で考え抜く、常識破りの入門書。

ちくま新書

008
ニーチェ入門
竹田青嗣
新たな価値をつかみなおすために、今こそ読まれるべき思想家ニーチェ。現代の我々をも震撼させる哲人の核心に大胆果敢に迫り、明快に説く刺激的な入門書。

020
ウィトゲンシュタイン入門
永井均
天才哲学者が生涯を賭けて問いつづけた「語りえないもの」とは何か。写像・文法・言語ゲームと展開する特異な思想に迫り、哲学することの妙技と魅力を伝える。

029
カント入門
石川文康
哲学史上不朽の遺産『純粋理性批判』を中心に、その哲学の核心を平明に読み解くとともに、哲学者の内面のドラマに迫り、現代に甦る生き生きとしたカント像を描く。

200
レヴィナス入門
熊野純彦
フッサールとハイデガーに学びながらも、ユダヤの伝統を継承し独自の哲学を展開したレヴィナス。収容所体験から紡ぎだされた強靭で繊細な思考をたどる初の入門書。

277
ハイデガー入門
細川亮一
二〇世紀最大の哲学書『存在と時間』の成立をめぐる謎とは？　難解といわれるハイデガーの思考の核心を読み解き、西洋哲学が問いつづけた「存在への問い」に迫る。

301
アリストテレス入門
山口義久
論理学の基礎を築き、総合的知の枠組をつくりあげた古代ギリシア哲学の巨人。その思考の方法と核心に迫り、知の探究の軌跡をたどるアリストテレス再発見！

776
ドゥルーズ入門
檜垣立哉
没後十年以上を経てますます注視されるドゥルーズ。哲学史的な文脈と思想的変遷を踏まえ、その豊かなイマージュと論理を読む。来るべき思想の羅針盤となる一冊。

922
ミシェル・フーコー
――近代を裏から読む
重田園江
社会の隅々にまで浸透した「権力」の成り立ちを問い、常識的なものの見方に根底から揺さぶりをかけるフーコー。その思想の魅力と強靭さをとらえる革命的入門書！

1076
感情とは何か
――プラトンからアーレントまで
清水真木
「感情」の本質とは何か？　感情をめぐる哲学的言説の系譜を整理し、それぞれの細部を精神史の文脈に置きなおす。哲学史の新たな読みを果敢に試みる感情の存在論。

1103
反〈絆〉論
中島義道
東日本大震災後、列島中がなびいた〈絆〉という価値観。だがそこには暴力が潜んでいる？　〈絆〉からの自由は認められないのか。哲学にしかできない領域で考える。

1119
近代政治哲学
――自然・主権・行政
國分功一郎
今日の政治体制は、近代政治哲学が構想したものだ。ならば、その基本概念を検討することで、いまの民主主義体制が抱える欠点も把握できるはず！　渾身の書き下し。

1143
観念論の教室
冨田恭彦
私たちに知覚される場合だけ物は存在すると考える「観念論」。人間は何故この考えにとらわれるのか。元祖観念論者バークリを中心に「明るい観念論」の魅力を解く。

1165
プラグマティズム入門
伊藤邦武
これからの世界を動かす思想として、いま最も注目されるプラグマティズム。アメリカにおけるその誕生から最新の研究動向まで、全貌を明らかにする入門書決定版。

1322
英米哲学入門
――「である」と「べき」の交差する世界
一ノ瀬正樹
夢と現実って本当に区別できるの？　この世界に実は因果関係なんて存在しない？　哲学の根本問題を経験や言語を足場に考え抜く、笑いあり涙あり（？）の入門講義。

ちくま新書

1460
世界哲学史1
——古代Ⅰ　知恵から愛知へ
［責任編集］伊藤邦武／山内志朗
中島隆博／納富信留
人類は文明の始まりに世界と魂をどう考えたのか。古代オリエント、旧約聖書世界、ギリシアから、中国、インドまで、世界哲学が立ち現れた場に多角的に迫る。

1461
世界哲学史2
——古代Ⅱ　世界哲学の成立と展開
［責任編集］伊藤邦武／山内志朗
中島隆博／納富信留
キリスト教、仏教、儒教、ゾロアスター教、マニ教などの宗教的思考について哲学史の観点から領域横断的に検討。「善悪と超越」をテーマに、宗教的思索の起源に迫る。

1462
世界哲学史3
——中世Ⅰ　超越と普遍に向けて
［責任編集］伊藤邦武／山内志朗
中島隆博／納富信留
七世紀から一二世紀まで、ヨーロッパ、ビザンツ、イスラーム世界、中国やインド、そして日本の多様な形而上学の発展を、相互の豊かな関わりのなかで論じていく。

1463
世界哲学史4
——中世Ⅱ　個人の覚醒
［責任編集］伊藤邦武／山内志朗
中島隆博／納富信留
モンゴル帝国がユーラシアを征服し世界が一体化へと向かう中、世界哲学はいかに展開したか。天や神など超越者に還元されない「個人の覚醒」に注目し考察する。

1464
世界哲学史5
——中世Ⅲ　バロックの哲学
［責任編集］伊藤邦武／山内志朗
中島隆博／納富信留
近代西洋思想は、いかにイスラームの影響を受けたスコラ哲学によって準備され、世界へと伝播したか。中国・朝鮮・日本までを視野に入れて多面的に論じていく。

1465
世界哲学史6
——近代Ⅰ　啓蒙と人間感情論
［責任編集］伊藤邦武／山内志朗
中島隆博／納富信留
啓蒙運動が人間性の復活という目標をもっていたことを、東西の思想の具体例とその交流の歴史から浮き彫りにしつつ、一八世紀の東西の感情論へのまなざしを探る。

1466
世界哲学史7
——近代Ⅱ　自由と歴史的発展
［責任編集］伊藤邦武／山内志朗
中島隆博／納富信留
旧制度からの解放を求めた一九世紀の「自由の哲学」とは何か。欧米やインド、日本などでの知的営為を俯瞰し、自由の意味についての哲学的探究を広く渉猟する。

ちくま新書

1467 世界哲学史8 ――現代 グローバル時代の知 [責任編集] 伊藤邦武/山内志朗/中島隆博/納富信留

西洋現代哲学、ポストモダン思想から、イスラーム、中国、日本、アフリカなど世界各地の現代哲学までを渉猟し、現代文明の危機を打開する哲学の可能性を探る。

1534 世界哲学史 別巻 ――未来をひらく [責任編集] 伊藤邦武/山内志朗/中島隆博/納富信留

古代から現代までの『世界哲学史』全八巻を踏まえ、論じ尽くされていない論点、明らかになった新たな課題について考察し、未来の哲学の向かうべき先を考える。

1634 悪い言語哲学入門 和泉悠

「あんたバカぁ?」「だって女/男の子だもん」。私たちが何気なく使う言葉のどこに問題があるのか? その善悪の根拠を問い、言葉の公共性を取り戻す。

1643 和辻哲郎 建築と風土 三嶋輝夫

いまだかつて哲学研究者たちによって顧みられることがなかった和辻哲郎の建築論から、知られざる和辻倫理学の射程を、その広がりと深さにおいて示す試み。

1678 西田幾多郎『善の研究』を読む 藤田正勝

東洋の思想的な伝統を踏まえ、広い視野で哲学の新しい眺望を切り開いた『善の研究』。難解で知られるこの名著を丁寧に、深く掘り下げて読み解く西田哲学入門。

1734 中世哲学入門 ――存在の海をめぐる思想史 山内志朗

基本用語を解説しつつ、存在の問題からアヴィセンナの存在論、存在の一義性、個体化論、普遍論争へと、存在の海をめぐる思想史を丁寧に案内する決定版入門書。

1742 創造性はどこからやってくるか ――天然表現の世界 郡司ペギオ幸夫

考えもしなかったアイデアを思いつく。急に何かが降りてくる――。そのとき人間の中で何が起こっているのか。まだ見ぬ世界の〈外部〉を召喚するためのレッスン。

ちくま新書

377 人はなぜ「美しい」がわかるのか　橋本治
「美しい」とはどういう心の働きなのか？「合理性」や「カッコよさ」とはどう違うのか？　日本の古典や美術に造詣の深い、活字の鉄人による「美」をめぐる人生論。

415 お姫様とジェンダー――アニメで学ぶ男と女のジェンダー学入門　若桑みどり
白雪姫、シンデレラ、眠り姫などの昔話にはどのような意味が隠されているか。世界中で人気のディズニーのアニメを使って考えるジェンダー学入門の実験的講義。

532 靖国問題　高橋哲哉
戦後六十年を経て、なお問題でありつづける「靖国」を、具体的な歴史の場から見直し、それが「国家」の装置としていかなる役割を担ってきたのかを明らかにする。

569 無思想の発見　養老孟司
日本人はなぜ無思想なのか。それはつまり、「ゼロ」のようなものではないか。「無思想の思想」を手がかりに、日本が抱える諸問題を論じ、閉塞した現代に風穴を開ける。

578 「かわいい」論　四方田犬彦
キティちゃん、ポケモン、セーラームーン――。日本製のキャラクター商品はなぜ世界中で愛されるのか？「かわいい」の構造を美学的に分析する初めての試み。

881 東大生の論理――「理性」をめぐる教室　高橋昌一郎
東大生は理詰めで、知的で、クールなの？　東大の論理学講義で行った対話をもとにして、その発想、論法、倫理にふれる。理性の完全性を考えなおす哲学エッセイ。

946 日本思想史新論――プラグマティズムからナショナリズムへ　中野剛志
日本には秘められた実学の系譜があった。『TPP亡国論』で話題の著者が、伊藤仁斎、荻生徂徠、会沢正志斎、福沢諭吉の思想に、日本の危機を克服する戦略を探る。

ちくま新書

1039
社会契約論
――ホッブズ、ヒューム、ルソー、ロールズ
重田園江
この社会の起源には何があったのか。ホッブズ、ヒューム、ルソー、ロールズの議論を精密かつ大胆に読みなおし、近代の中心的思想を今に蘇らせる清冽な入門書！

1099
日本思想全史
清水正之
外来の宗教や哲学を受け入れ続けてきた日本人。その根底に流れる思想とは何か。古代から現代まで、この国のものの考え方のすべてがわかる、初めての本格的通史。

1146
戦後入門
加藤典洋
日本はなぜ「戦後」を終わらせられないのか。その核心にある「対米従属」「ねじれ」の問題の起源を世界戦争に探り、憲法九条の平和原則の強化による打開案を示す。

1182
カール・マルクス
――「資本主義」と闘った社会思想家
佐々木隆治
カール・マルクスの理論は、今なお社会変革の最強の武器であり続けている。最新の文献研究からマルクスの実像に迫ることで、その思想の核心を明らかにする。

1245
アナキズム入門
森元斎
国家なんていらない、ひたすら自由に生きよう――プルードン、バクーニン、クロポトキン、ルクリュ、マフノの思想と活動を生き生きと、確かな知性で描き出す。

1399
問い続ける力
石川善樹
「自分で考えなさい」と言われるが、何をどう考えればいいのだろうか？　様々な分野の達人9人をたずね、それぞれの問いのたて方、そして問い続ける力を探り出す。

1409
不道徳的倫理学講義
――人生にとって運とは何か
古田徹也
私たちの人生を大きく左右するにもかかわらず、倫理学では無視されがちな「運」をめぐる是非。それらの議論を古代から現代までたどり、人間の生の在り方を探る。